IMPARARE LEGGENDO

Maria Luisa Banfi ◆ Simona Gavelli

Mistero all'Abbazia

Progetto grafico: Nadia Maestri
Illustrazioni: Gianni De Conno

Prima edizione : gennaio 1998

5 4 3

ISBN 88-7754-352 3 Libro

ISBN 88-7754-326 4 Libro + cassetta

Stampato in Italia da: Litoprint, Genova

Indice

Questi simboli indicano l'inizio e la fine delle attività di ascolto.

Capitolo 1

Vacanza in campagna

Eccoci qua!

– Finalmente vedo la vecchia casa di campagna! È molto carina!

– Aspetta, ti apro la porta; è un po' impolverata,[1] sai, non ci viene mai nessuno.

– Ma questa casa sembra un negozio di antichità! Funziona la pendola? Ragazzi! Che bel caminetto! Peccato che siamo in estate, fa troppo caldo per accenderlo, magari se ci fosse un temporale...

1. **impolverata** : coperta di polvere.

Mistero all'Abbazia

– Porto in camera le tue valigie. Com'è pesante questa borsa, cosa c'è dentro?

– Fai attenzione, Marco, c'è dentro la mia attrezzatura fotografica.[1]

Scusate, non mi sono ancora presentato: io mi chiamo Marco e la ragazza che è con me si chiama Anna.

È il primo giorno delle nostre vacanze. Vi domandate dove siamo? Niente mare, niente montagna, semplicemente la tranquilla campagna lombarda.

Per me non è una novità: io, qui in campagna, ci sono cresciuto, ma per Anna che viene da Genova, una città di mare, è una meta per così dire "esotica".

– Ci sono dei siti storici[2] da vedere?

– Sì, certo. Comunque stasera chiediamo alla Rosa[3]; lei conosce bene ogni angolo di questa campagna.

– Chi è Rosa?

– È una sorpresa!

– Marco, dammi almeno un indizio; come mi devo vestire?

– Vestiti in modo comodo e informale.

Stasera porto Anna a cena nell'osteria[4] del paese.

1. **attrezzatura fotografica** : complesso di strumenti necessari alla realizzazione di fotografie.
2. **siti storici** : luoghi di particolare interesse storico.
3. **alla Rosa** : l'abitudine di far precedere il nome proprio da un articolo determinativo è limitata alle parlate dell'Italia settentrionale, in particolare della Lombardia.
4. **osteria** : tipico locale dove si può bere e mangiare.

Vacanza in campagna

Quando ero bambino, ci andavo con il nonno. Lui passava lì tutte le sere a giocare a carte con gli amici. Dietro al bancone [1] del bar c'era la Rosa, la proprietaria dell'osteria. Da bambino mi piaceva stare dietro al bancone e immaginavo di servire i clienti. La Rosa rideva lasciandomi fare. Lei è veramente una persona speciale!

– Sono pronta, allora andiamo?

– Sì, andiamo!

Ci incamminiamo per le strade del paese che, a quest'ora, è deserto.

– Ma questo è un paese fantasma! [2]

– No, sono già tutti a cena. Qui da noi, in campagna, si mangia presto la sera.

Finalmente, svoltato un angolo, arriviamo davanti all'osteria. Il cuore mi batte forte. È un tuffo nel passato, nella

1. **bancone** : lungo tavolo chiuso da un lato sino a terra che separa il venditore dal cliente.
2. **paese fantasma** : paese abbandonato da tempo dai suoi abitanti.

mia infanzia spensierata e senza problemi.

– È rimasto tutto uguale, anche l'insegna è quella di una volta!

Entriamo. La Rosa è lì, dietro al bancone. Certo è un po' invecchiata, i capelli ingrigiti, [1] ma li porta ancora, come allora, raccolti a crocchia. [2]

– Rosa!... Ti ricordi di me?

– Aspetta..., fatti vedere bene, sei..., ma tu sei Marco! Che bella sorpresa! Cosa ci fai qui? E i nonni? Stanno bene? E la mamma? E il papà?

– Sì, grazie, stanno tutti bene. Io sono qui in vacanza. Ma dimmi di te! Come va? Sempre dietro al bancone! Non lasci mai il tuo posto di comando!

– Già! Non mi presenti la tua ragazza? [3]

– Sì, questa è Anna. Anna, ti presento la Rosa!

– Piacere, ha proprio un bel locale, complimenti!

– Per favore Anna dammi del tu! Non sei di Milano, vero?

– No, sono di Genova.

– Vieni dal mare! Non ne senti la mancanza?

– Sì un po'!

– Volete bere qualcosa? Su, sedetevi, vi porto da mangiare.

1. **capelli ingrigiti** : capelli che col passare del tempo hanno perso il loro colore naturale e sono diventati grigi.
2. **a crocchia** : acconciatura femminile dei capelli raccolti e fermati dietro la nuca.
3. **la tua ragazza** : fidanzata non ufficiale.

Vacanza in campagna

Se volete potete mettervi in giardino, fuori è più fresco.

– Anna, dove vuoi sederti?

– In giardino va bene!

Sotto il bersò [1] alcuni anziani giocano a "scopa". [2]

Anna si avvicina incuriosita e loro ci invitano a sederci al tavolo. Allora ci mettiamo a giocare a carte e bere vino come vecchi amici.

Anna si diverte moltissimo e anch'io mi sento bene, sono un po' "brillo", [3] ma contento.

Si è fatto tardi, dobbiamo rientrare a casa. Prima, però, Anna chiede alla Rosa se c'è qualche luogo storico nei dintorni [4] da visitare. Lei ci consiglia di andare all'abbazia di Morimondo che si trova a pochi chilometri di distanza.

– Allora domani andiamo a Morimondo. Per te va bene, Marco?

– Sì, va bene, ma domani mattina non svegliarmi troppo presto. In fondo siamo qui per rilassarci!

– Sei il solito pigro! Ti prometto che non ti sveglierò prima delle nove.

1. **bersò** : pergolato a cupola formato da una struttura in legno o metallo ricoperta da piante rampicanti.
2. **scopa** : gioco di carte tra due giocatori o due coppie, con un mazzo di 40 carte.
3. **brillo** : inebriato da bevande alcoliche.
4. **nei dintorni** : nelle vicinanze.

Tra le righe

1 Leggi attentamente il testo e segna con una ✘ l'affermazione esatta:

1. Anna e Marco si trovano
   a. ☐ in montagna
   b. ☐ al mare
   c. ☐ in campagna

2. La vicenda si svolge in
   a. ☐ Liguria
   b. ☐ Lombardia
   c. ☐ Emilia Romagna

3. Anna viene da
   a. ☐ Genova
   b. ☐ Milano
   c. ☐ Napoli

4. Rosa è proprietaria di
   a. ☐ una birreria
   b. ☐ un'osteria
   c. ☐ una pizzeria

5. Rosa domanda a Marco dei suoi
   a. ☐ fratelli
   b. ☐ parenti
   c. ☐ genitori

2 Metti in ordine cronologico i seguenti momenti della vicenda:

a. ☐ Marco e Anna giocano a carte e bevono vino.
b. ☐ Marco e Anna vanno da Rosa.
c. ☐ Anna dà del Lei a Rosa.
d. ☐ Anna e Marco cenano in giardino.
e. ☐ Marco scarica i bagagli.

f. ☐ Marco apre la porta di casa.

g. ☐ Rosa invita Anna a darle del tu.

Caccia alle parole

3 Ascolta attentamente la cassetta e correggi gli errori del testo:

– Eccomi qui!

– Finalmente vedo la vecchia bicocca di campagna! È molto brutta!

– Aspetta, ti apro il portone; è un po' in disordine, sai, ci viene sempre qualcuno.

– Ma questa casa sembra un museo! Funziona la caldaia? Ragazzi! Che bella stufa! Peccato che siamo in inverno, fa troppo freddo per spegnerla, magari se venisse il sole...

– Porto in soggiorno le tue valigie. Com'è pesante questo borsone, cosa c'è dentro?

– Fai attenzione, Marco, c'è dentro la mia attrezzatura da sci.

Scusate, non mi sono ancora presentato: io mi chiamo Marcello e la ragazza che è con me si chiama Alessia.

È l'ultimo giorno delle nostre vacanze. Vi domandate dove siamo? Niente mare, niente montagna, semplicemente la tranquilla collina marchigiana.

Per me non è una novità: io, qui in collina, ci sono nato, ma per Anna che viene da Rimini, una città di mare, è una sosta per così dire "tropicale".

Senti un po'!...

Come tu sai, in italiano, oltre all'accento grafico esiste l'accento tonico, che si trova su quasi tutte le parole tranne alcuni monosillabi. Esso viene usato anche per distinguere gli omofoni, parole di grafia identica ma di significato diverso, oppure tempi diversi di uno stesso verbo. Mentre l'accento grafico, che cade sull'ultima sillaba, viene indicato, non è necessario indicare quello tonico.

4 **Ascolta le frasi seguenti e metti l'accento (tonico o grafico) ove necessario:**

1. Su forza, siamo in ritardo, alzati e vestiti o farai tardi a scuola!
2. Ci siamo alzati e vestiti in cinque minuti perche rischiavamo di perdere il treno.
3. Vuoi ancora del te? Si, grazie!
4. Getta l'ancora, il mare e pulito e se ti va facciamo un bagno.
5. La meta della nostra gita sono i castelli romani.
6. Bambini dividetevi equamente la merenda, meta ciascuno.
7. Guarda Daniela e Roberta: i vestiti che indossano sembrano identici.
8. Calmati, e inutile lasciarsi andare a scene isteriche, non risolverai nulla!
9. Con una favola i miei fratellini si sono calmati subito.
10. E un uomo di seri principi.
11. I principi di Monaco e di Spagna si sono incontrati a una festa di gala.

S.O.S. Grammatica

Uso del presente e dell'imperfetto

1. Il presente indica un'azione (un modo di essere, uno stato) considerata nel momento in cui si parla.

   Aspetta, ti apro la porta. *Sei il solito pigro!*

   - Indica anche un fatto che si ripete regolarmente:

     Sotto il bersò alcuni anziani giocano a scopa.

     Qui da noi, in campagna, si mangia presto la sera.

   - Il presente si usa anche nelle descrizioni geografiche:

     Lei ci consiglia di andare all'abbazia di Morimondo che si trova a pochi chilometri di distanza.

   - Il presente si usa inoltre nei proverbi, nelle descrizioni scientifiche, nei testi storici. In tal caso, il presente storico dà freschezza ed immediatezza alla narrazione.

2. L'imperfetto indica un'azione passata, considerata nel suo svolgersi.

   - Indica la durata di un'azione o un'azione abituale:

     La Rosa rideva lasciandomi fare.

     Lui passava lì tutte le sere a giocare a carte con gli amici.

     Quand'ero bambino ci andavo con il nonno.

1 **Indica con una ✗ il valore del presente, distinguendo in fatti presenti (FP), fatti che si ripetono (FR) e fatti considerati come verità storiche, scientifiche, ecc. (FV):**

	FP	FR	FV
1. La Terra gira attorno al Sole con un'orbita ellittica.	☐	☐	☐
2. Il martedì ed il giovedì Elisa frequenta un corso di ginnastica.	☐	☐	☐
3. Questa sera andiamo in pizzeria con i nostri amici.	☐	☐	☐
4. Mamma, vado a fare i compiti a casa di Giorgio, domani abbiamo un'interrogazione.	☐	☐	☐
5. Il Po attraversa la Pianura padana e sfocia nel mar Adriatico.	☐	☐	☐
6. A Pasqua si mangia la colomba.	☐	☐	☐
7. L'arte romanica si sviluppa in Italia tra il X ed il XII secolo.	☐	☐	☐
8. Quando disegno, ascolto spesso Radio Dimensione Suono.	☐	☐	☐
9. La benzina costa 1950 lire al litro.	☐	☐	☐
10. La gestazione del gatto dura 56 giorni.	☐	☐	☐

2 **Indica con una ✗ il valore dell'imperfetto distinguendo se esprime la durata di un'azione (D) o un'azione abituale (A):**

1. Quando Marco frequentava [.....] l'università, pranzava [.....] ogni giorno alla mensa.
2. Da bambino a Marco piaceva [.....] stare dietro il bancone.
3. Quando Carla giocava [.....] con Chiara, litigavano [.....] sempre.
4. Ieri, mentre facevo [.....] i compiti ha squillato il telefono e mi sono spaventato.
5. L'estate scorsa, al mare, facevo [.....] il bagno tutti i giorni.

6. Quando non esisteva [.....] ancora il treno, la diligenza era [.....] il mezzo di trasporto più usato.
7. Nella Grecia antica, si celebravano [.....] i giochi olimpici ogni quattro anni.
8. Quando Luca era [.....] malato, andavamo [.....] ogni giorno a trovarlo.
9. Il professore di matematica ci interrogava [.....] ogni settimana.
10. Quando nevicava [.....] i bambini facevano [.....] un grande pupazzo di neve nel giardino di casa.

Parole, parole, parole...

1 Indica con una ✘ il significato esatto delle seguenti parole o espressioni:

1. paese fantasma
   - a. ☐ il fantasma del paese
   - b. ☐ paese che non esiste
   - c. ☐ paese popolato da fantasmi

2. dintorni
   - a. ☐ luoghi circostanti
   - b. ☐ luoghi lontani
   - c. ☐ luoghi irraggiungibili

3. raccolti a crocchia
   - a. ☐ raccolti in gruppo
   - b. ☐ sollevati da terra a crocchia
   - c. ☐ raccolti sul capo, dietro la nuca

4. angolo di questa campagna
   - a. ☐ luogo di questa campagna
   - c. ☐ i terreni coltivati
   - b. ☐ angolo di un terreno con recinto quadrato

Mano alla penna

1 Immagina il contenuto della valigia di Marco e di quella di Anna.

2 Cerca di enumerare i pro e i contro delle vacanze al mare, in montagna o in collina.

3 Descrivi l'interno di una casa di campagna.

4 Ricorda: "Quand'ero bambino..."

5 Descrivi una persona conosciuta molto tempo fa. Confronta come la ricordi e come la vedi invece oggi.

6 Chi è la voce narrante della vicenda? A chi si rivolge?

7 Descrivi i personaggi di Anna e Marco.

Intervallo

Che cosa non hanno messo in valigia?

Ritrova nello schema le parole elencate qui sotto. Le puoi leggere orizzontalmente, verticalmente e diagonalmente, ma anche dal basso verso l'alto e da destra a sinistra.
Le lettere rimaste, lette di seguito, ti daranno il nome di due oggetti che Anna e Marco hanno dimenticato di mettere in valigia.

abito – berretto – calze – calzini – camicia
camicia da notte – cravatta – giacca – giacca a vento
gonna – guanti – maglia – maglioni – orologi – pantaloni
pigiama – piumino – pomata – scarpe

P	A	N	T	A	L	O	N	I	S	C	A	R	■
I	N	O	I	L	G	A	M	N	P	G	E	D	A
U	I	T	T	E	E	N	A	I	C	I	M	A	C
M	G	P	N	N	P	I	S	Z	E	A	A	B	G
I	O	I	A	O	C	R	C	L	H	C	G	I	O
N	L	G	U	I	A	L	A	A	I	C	L	T	N
O	O	I	G	E	Z	L	A	C	D	A	I	O	N
C	R	A	V	A	T	T	A	A	S	S	A	O	A
P	O	M	A	T	A	O	T	T	E	R	R	E	B
G	I	A	C	C	A	A	V	E	N	T	O	L	E
E	T	T	O	N	A	D	A	I	C	I	M	A	C

_ _ _ _ _ _   _ _   _ _ _ _ _ _   _   _ _ _ _ _ _ _ _   _ _   _ _ _ _

Capitolo 2

Gita all'Abbazia

Buongiorno tesoro, hai dormito bene?

– Sì, grazie, come un bambino!

– Ti porto un buon caffè; è appena fatto! Per colazione c'è frutta fresca, yogurt e cereali; va bene?

– Anna sei incredibile, hai già preparato tutto questo! Ma a che ora ti sei svegliata?

– Presto! Mi piace alzarmi al sorgere del sole quando il cielo ha delle tonalità di colore che non si possono vedere in altre ore del giorno. Ho già fatto la spesa e, se non ci

attardiamo [1] troppo per la colazione, possiamo fare la nostra visita all'abbazia e poi scendere al fiume a prendere il sole. Ho già messo nello zaino i panini per il pranzo al sacco.

– Buona idea. Il tuo programma per oggi mi piace, ho proprio voglia di andare al fiume.

– Bene! Allora facciamo colazione e poi andiamo.

– Prendiamo la moto?

– Sì, meglio andare con la moto, facciamo prima. [2]

In meno di dieci minuti arriviamo all'abbazia. Essa si staglia imponente nel cielo assolato della campagna. Tutta intorno è circondata da campi coltivati e boschetti di robinie [3] che declinano [4] dolcemente verso il fiume Ticino.

Come per incanto [5] mi sento avvolto da una strana sensazione mistica. Mi aspetto, da un momento all'altro, di

1. **attardiamo** : tratteniamo.
2. **facciamo prima** : arriviamo prima, guadagniamo tempo.
3. **robinie** : piante dai fiori bianchi, odorosi, in grappoli.
4. **declinano** : volgono verso il basso.
5. **come per incanto** : quasi per magia.

vedere i frati uscire dal portale in fila silenziosa e andare a lavorare la terra. [1]

"Ora et labora". [2]

Dietro di me Anna scatta molte foto. Capisco dalle sue esclamazioni e dai suoi silenzi che anche lei è rapita da quest'aura mistica. [3]

– Splendida! È tutto così suggestivo! Dai Marco, parcheggia la moto, voglio entrare. Immagina come dev'essere bella all'interno!

– Anna, calmati! Lasciami il tempo di trovare un posto all'ombra per la moto, poi cerchiamo il custode e gli chiediamo delle informazioni.

1. **lavorare la terra** : coltivare la terra.
2. **ora et labora** : vedi pag. 45.
3. **rapita da quest'aura mistica** : coinvolta emotivamente da quest'atmosfera mistica.

Gita all'Abbazia

Ah! Dimenticavo di dirvi che Anna è una studentessa della facoltà di architettura dell'università di Genova.

Per lei ogni mattone o rudere [1] ha un'estrema importanza.

Inoltre ha una vera passione per la storia architettonica dei monaci cistercensi. [2]

Io non ci capisco gran che. Del resto non è il mio campo [3] dal momento che studio medicina. Il mio sogno è diventare ricercatore.

Bene! Ora che ho parcheggiato la moto è meglio che raggiunga Anna.

Volete sapere dov'è?

È là, davanti all'abbazia, con il naso all'insù, lo sguardo perso fra la storia. [4] Per lei ora non esiste più niente, nemmeno io!

– Anna, attenta! Arriva un camion a tutta velocità... È impazzito! Spostati altrimenti ti investe!

– Viene verso di noi. Che faccia tosta! [5] Si è fermato proprio qui a pochi metri da noi!

– Adesso vado a dirgliene quattro! [6]

1. **rudere** : resto di costruzione o monumento antico.
2. **monaci cistercensi** : monaci appartenenti all'ordine fondato da Roberto di Molesme a Cîteaux, da cui il nome cistercense.
3. **non è il mio campo** : non è il mio settore professionale.
4. **sguardo perso tra la storia** : attratta da quei luoghi pieni di storia, coinvolta totalmente.
5. **che faccia tosta!** : che persona sfrontata, non si vergogna di quel che ha fatto.
6. **dirgliene quattro** : fargli una scenata, dirgli ciò che merita.

– Marco, non ti arrabbiare, lascia perdere!... È incredibile, hai visto, è un frate!

Un frate scende dalla cabina di guida. Anna gli si avvicina:

– Padre, ci ha fatto prendere un bello spavento, [1] per poco non ci è venuto addosso!... Mi scusi la curiosità, ma che ci fa un frate alla guida di un camion come quello?

– Buongiorno ragazzi. Vi chiedo scusa, non volevo spaventarvi, ma è meglio che non stiate qui perché è molto pericoloso. L'abbazia è in fase di restauro e ci sono molti camion che vanno e vengono per trasportare i materiali e le macerie.

– Padre, noi vorremmo vedere l'abbazia; è possibile?

– Mi dispiace, è impossibile! Ora è meglio che andiate via. Che Dio vi benedica!

– Grazie, padre.

Il camion riparte. Anna nel frattempo si è avvicinata al portale.

– Che cosa vuoi fare? Anna, vieni qui; hai sentito? L'abbazia è chiusa e non possiamo entrare! Andiamo giù al fiume, col caldo che fa possiamo farci una bella nuotata.

– Un attimo, prima voglio fare qualche foto. È strano, come mai se stanno lavorando non si sente alcun rumore?

– Su Anna, andiamo via. Dopo tutto non sono affari nostri! [2]

1. **bello spavento** : forte spavento.
2. **non sono affari nostri** : tutto ciò non ci riguarda.

·D·

Tra le righe

1 Leggi con attenzione il testo e indica se le seguenti affermazioni sono vere (V) o false (F):

		V	F
1.	Marco ha dormito male.	☐	☐
2.	Ad Anna piace poltrire a letto e alzarsi tardi.	☐	☐
3.	Anna ha preparato il pranzo al sacco.	☐	☐
4.	Anna e Marco saltano in sella alla loro moto.	☐	☐
5.	L'abbazia sorge tra le case.	☐	☐
6.	La macchina fotografica di Anna si è inceppata.	☐	☐
7.	Anna frequenta la facoltà di archeologia.	☐	☐
8.	Marco studia alla facoltà di medicina veterinaria.	☐	☐
9.	Il camion che arriva a tutta velocità investe Anna.	☐	☐
10.	Il custode non dà il permesso a Marco ed Anna di visitare l'abbazia.	☐	☐

2 Hai buona memoria? Prova a completare il testo seguente:

Dopo una buona dormita ed una colazione a base di ...., yogurt e ...., Marco ed Anna sono pronti per saltare in sella alla loro ...., per .... l'abbazia ed andare a .... il sole al ....
L'abbazia affascina i nostri amici: ha un che di .... Anna, che studia alla facoltà di ...., ... molte foto, mentre Marco .... la moto in un posto ....
Quando Marco raggiunge Anna, ha appena il tempo di urlarle di fare attenzione perché un .... si sta dirigendo a tutta .... verso di lei. Anna si sposta appena in tempo, mentre il camion si ferma a pochi .... da loro. Ne scende un .... che si scusa per l'accaduto; spiega che non intendeva spaventarli ed aggiunge che non si può visitare l'abbazia perché è in ....

Caccia alle parole

3 Ascolta attentamente la cassetta e completa il testo:

In meno di dieci minuti .... all'abbazia. Essa si .... imponente nel cielo .... della campagna. Tutta intorno è .... da campi coltivati e boschetti di robinie che .... dolcemente verso il fiume Ticino.

Come per incanto mi sento .... da una strana .... mistica. Mi ...., da un momento all'altro, di vedere i frati uscire dal portale in fila .... e andare a lavorare la terra.

"Ora et labora".

Dietro di me Anna .... molte foto. .... dalle sue .... e dai suoi silenzi che anche lei è rapita da quest'aura ....

– Splendida! È tutto così suggestivo! Dai Marco, ... la moto, ... entrare. .... come dev'essere bella all'interno!

– Anna, ...! .... il tempo di trovare un posto all'ombra per la moto, poi .... il custode e gli .... delle informazioni.

S.O.S. Grammatica

Uso del passato prossimo

Buongiorno tesoro, hai dormito bene?

Padre, ci ha fatto prendere un bello spavento, per poco non ci è venuto addosso!...

- Il passato prossimo indica un fatto avvenuto in un momento del passato molto recente, ma può anche indicare un fatto del passato ormai lontano, i cui effetti perdurano nel momento in cui si parla:

  Si è trasferito in Germania trent'anni fa per cercare lavoro, ritornerà in Italia quando andrà in pensione.

1 **Rileva le frasi del testo in cui compare il passato prossimo.**

2 **Indica il valore del passato prossimo e distingui i fatti avvenuti in un momento del passato molto recente (PR) o avvenuti in un momento lontano, i cui effetti perdurano nel momento attuale (PL):**

1. Ho fatto [.....] i compiti di matematica, ma devo ancora fare quelli di scienze.
2. Ho preparato [.....] un tiramisù squisito per i miei amici che stanno per arrivare.
3. Ieri e oggi non sono uscita [.....] di casa.
4. Quest'anno Giulia è stata promossa [.....] anche se non riesce bene in alcune materie.
5. Suo padre è nato [.....] in Argentina e lavora in Germania.
6. Mi sono seduto [.....] sotto il bersò a guardare alcuni uomini giocare a carte.
7. È piovuto [.....] tutta la notte ed alcuni fiumi hanno rotto [.....] gli argini.
8. Ho dimenticato [.....] di fare la spesa ed abbiamo deciso [.....] di cenare in pizzeria.
9. Ieri sera ho guardato [.....] la televisione fino a tardi e perciò questa mattina sono molto stanco.
10. Giorgio si è molto divertito [.....] alla settimana bianca dello scorso anno ed ha imparato [.....] a sciare molto bene.

Parole, parole, parole...

1 **Indica con una ✘ il significato esatto delle seguenti parole o espressioni:**

1. fare prima
   a. ☐ guadagnare tempo
   b. ☐ arrivare in anticipo
   c. ☐ fare qualcosa per prima

3. non è il mio campo
   a. ☐ non coltivo terreni
   c. ☐ coltivo altri campi
   b. ☐ non è il mio settore di competenza

4. dirne quattro
   a. ☐ essere di poche parole
   b. ☐ dire a qualcuno ciò che si merita
   c. ☐ avere sempre qualcosa da dire

5. un bello spavento
   a. ☐ uno spavento quasi gradevole
   b. ☐ un piccolo spavento
   c. ☐ uno spavento grande e intenso

6. con lo sguardo perso tra la storia
   a. ☐ osserva un libro di storia
   b. ☐ ha perso un libro di storia
   c. ☐ irresistibilmente attratta dall'antica abbazia e dalla sua storia

7. faccia tosta
   a. ☐ che non si vergogna affatto
   b. ☐ viso abbronzato color caffè
   c. ☐ viso secco, magro

Mano alla penna

1. Fai il programma per una giornata di vacanza con i tuoi amici.

2. E tu, che studi hai fatto o che studi desideri fare?

3. Che cosa ne pensi delle cosiddette lauree brevi?

4. Immagina il dialogo tra Marco e il possibile investitore di Anna se soltanto lei fosse caduta a terra. Che cosa sarebbe stato necessario fare?

5. Ti pare normale che un frate conduca un camion? Spiega il perché.

6. Come immagini che sia il frate? Descrivilo.

7. Quali elementi si sono aggiunti in questo capitolo per delineare il carattere di Marco e di Anna?

8. Immagina che cosa succederà durante la prossima mezz'ora.

I Documenti

LA BASSA LODIGIANA E IL PAVESE

Un itinerario per abbazie e altri monumenti in quella fascia di pianura compresa tra Milano, Lodi e Pavia che, nel Medioevo, ha visto la rivoluzione agricola portata avanti dai grandi ordini monastici.

Abbazia di Chiaravalle

Isolata in un'area ancora agricola, la chiesa eretta dai Cistercensi in forme gotiche francesi, è caratterizzata dalla *torre campanaria* a loggette digradanti. All'interno grandi affreschi di Fiammenghini (sec. XVII), un *coro* intagliato seicentesco e una *Madonna col Bambino* del Luini.

Abbazia di Vibaldone

Dell'abbazia rimane la chiesa. La facciata è in stile romanico e gotico. Tra gli affreschi ricordiamo una *Madonna in trono e santi*, capolavoro di un ignoto discepolo di Giotto.

Lodi

Centro della vita cittadina è la scenografica piazza della Vittoria circondata da edifici con portici in cui troneggia il **Duomo**, in stile romanico (1160); notevoli le sculture del portale maggiore (*Adamo* ed *Eva*). Il monumento più prestigioso è il **santuario dell'Incoronata**, uno dei capolavori del Rinascimento lombardo.

Lodi Vecchio

La **chiesa di S. Bassiano**, del IV-V secolo, in forme romaniche, benché sopraelevata e trasformata nel XIV secolo, tutta in cotto, presenta l'innovazione della facciata "a vento", caratteristica del Trecento lombardo. L'interno è diviso in tre navate da grossi pilastri con capitelli in pietra scolpiti.

Vigevano

La **piazza Ducale** iniziata da Ludovico il Moro forse su stimolo di Leonardo da Vinci e di Bramante, è un capolavoro urbanistico. Coronata da tre portici è chiusa dal **Duomo** barocco. Dietro i portici si staglia il **Castello** che fu della famiglia dei Visconti e degli Sforza.

Morimondo

Fra il Ticino e il naviglio di Bereguardo sorge l'**abbazia di Morimondo**, un caposaldo dell'opera di colonizzazione agricola attuata nel Medioevo dall'ordine cistercense di San Bernardo. Precede il monastero la **chiesa di Santa Maria** (sec. XII). Nell'interno, tra i preziosi arredi spicca il notevolissimo *coro* ligneo. Sul fianco destro della chiesa si apre il *chiostro*, sul quale si affacciano le varie parti del monastero.

DA NON PERDERE

La certosa di Pavia

È uno dei più vasti complessi conventuali italiani, eretto per volere di Gian Galeazzo Visconti che lo destinò a mausoleo della propria famiglia. La *facciata* è tra i massimi capolavori della scultura rinascimentale. Il complesso monastico, esempio d'architettura certosina, si articola intorno ai due *chiostri.*

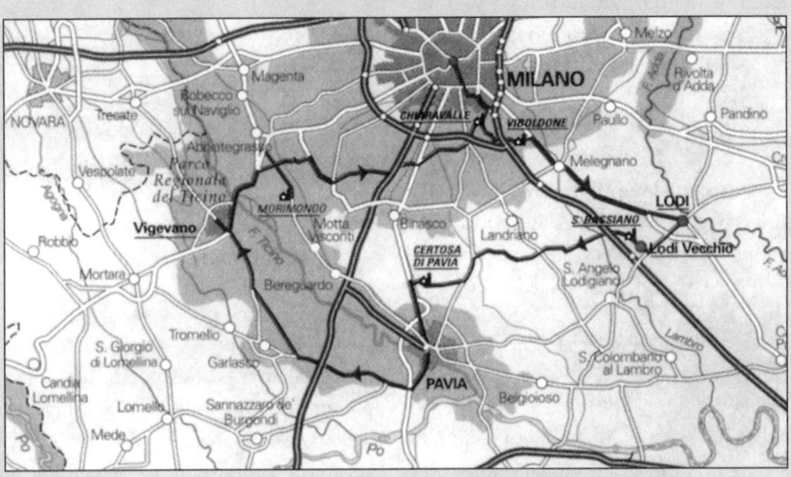

E ora crea tu un itinerario turistico della regione in cui abiti.

ALIMENTAZIONE

Una colazione con i fiocchi

I cereali stanno diventando una piacevole abitudine nel nostro breakfast. Sono sani e nutrienti e si trovano in mille versioni.

Mais, frumento, avena, orzo. Una cascata di fiocchi a colazione. Normali o integrali, tutti leggeri, gustosi e nutrienti. Inondati di latte e cosparsi di zucchero, sono un'alternativa gustosa a pane, burro e marmellata.

Sono adatti a regimi alimentari e a tutte le età. Hanno le giuste calorie per il fabbisogno quotidiano. Cento grammi di fiocchi senza zucchero forniscono circa 360-370 calorie (le stesse di biscotti secchi e fette biscottate). Contengono 79 gr. di carboidrati, 7 gr. di grassi, 5 gr. di proteine vegetali. Hanno però una scarsa quantità di vitamine ma molte fibre. Tutto per favorire la digestione! Hanno però un neo. Si legano al calcio, contenuto nel latte, riducendone l'apporto all'organismo. Meglio non abbinarli dunque a latte e yogurt e preferire frullati o macedonie.

I fiocchi di cereali sono costituiti per tre quarti da amidi, che vengono bruciati lentamente e per un quarto da zuccheri, fonti di energia di immediato consumo.

(adattamento da *Donna Moderna*)

1. Qual è la colazione tradizionale?
2. Qual è la tua colazione ideale?
3. Come si sono sviluppate le tradizioni alimentari nel tuo paese?

Intervallo

1 I sinonimi...

Indica con una ✗ i sinonimi delle seguenti espressioni:

1. avere la faccia tosta

- a. ☐ avere una faccia di bronzo
- b. ☐ avere un viso d'angelo
- c. ☐ avere una faccia da schiaffi
- d. ☐ avere una pelle liscia
- e. ☐ avere un bel colorito

2. dormire come un bambino

- a. ☐ dormire come un sasso
- b. ☐ dormire tra due guanciali
- c. ☐ dormire come un angelo
- d. ☐ dormire sodo
- e. ☐ dormire come un pascià

2 ... e i contrari

1. cielo assolato: ....

2. sorgere del sole: ....

Capitolo 3

Una curiosa scoperta

La spiaggetta sul greto [1] del fiume è già affollata. Il fiume Ticino è il "mare" dei milanesi che non possono andare in vacanza. Fin dal mattino presto intere famigliole arrivano per prendersi i posti migliori. Il capofamiglia pianta l'ombrellone nel terreno mentre la moglie spalma con la crema solare i suoi figli; poi comincia a distribuire panini, merendine e succhi di frutta.

1. **greto** : parte del letto del fiume che rimane scoperta dall'acqua.

Mistero all'Abbazia

Tra radio, stereo e urla di bambini riusciamo a trovare un angolino tranquillo dove stendere i nostri teli da mare e le nostre stuoie.[1]

Anna non sembra curarsi del frastuono[2] che ci circonda. Si sdraia sul suo asciugamano, accende il suo walkman e, così isolata dal resto del mondo, scarabocchia[3] su un taccuino.

– Anna, sei arrabbiata con me?

– No, scusa se non sono di grande compagnia, ma sono molto perplessa. Quello che ci è capitato stamattina all'abbazia è molto strano. Quando si fanno dei lavori di restauro è obbligatorio esporre[4] un cartello con il nome dell'architetto che coordina il lavoro e della ditta che lo esegue e soprattutto ci dev'essere il benestare[5] della sovrintendenza del Ministero delle Belle Arti. Invece non c'è nessun cartello.

E poi non mi convince quel frate. Aveva molta fretta di mandarci via. Non ci si comporta così se non si ha niente da

1. **stuoie** : tappetini da mare in paglia o giunco.
2. **frastuono** : rumore assordante.
3. **scarabocchia** : scrive svogliatamente.
4. **esporre** : porre alla vista del pubblico.
5. **benestare** : autorizzazione.

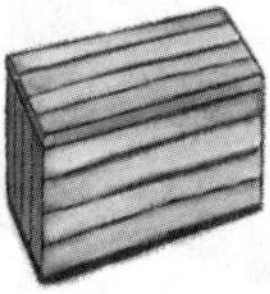

nascondere. Non sei d'accordo?

– Anna, cosa vuoi che ti dica, a volte nei piccoli paesi non c'è bisogno di ufficializzare tutto.
E poi sono solo dei frati, che cosa mai possono fare di male? Forse la tua fervida fantasia [1] ti fa brutti scherzi!
Senti mi è venuta un'idea. Stasera, prima di tornare a casa, ci fermiamo all'abbazia e diamo un'occhiata in giro, [2] così, per fugare [3] ogni dubbio. Non credo che troveremo niente di strano e quando te ne sarai convinta potremo dimenticare questa storia e dedicarci a noi due.

Quando lasciamo la spiaggia sono già le otto di sera. Ormai non è rimasto più nessuno. Fin dalle sette la gente ha cominciato ad andarsene, tutti rossi come peperoni e con l'aria stordita di chi [4] è rimasto tutto il giorno sotto il sole cocente.

Prendiamo la moto e cominciamo a risalire la strada verso l'abbazia. Arrivati al bivio, Anna mi chiede di fermarci:

– Hai voglia di fare due passi [5] a piedi?

– Per me va bene.

1. **fervida fantasia** : vivace immaginazione.
2. **diamo un'occhiata in giro** : controlliamo rapidamente.
3. **fugare** : far scomparire.
4. **con l'aria stordita di chi** : intontito come chi (sia).
5. **fare due passi** : camminare per un breve tratto di strada.

Mistero all'Abbazia

Dal bivio [1] l'abbazia dista cinquecento metri, ma non riusciamo a percorrerli tutti; all'improvviso, sentiamo un rombo di motori proveniente dalla strada principale.

Istintivamente, senza riflettere, ci nascondiamo dietro alcuni cespugli di rovo.

Improvvisamente sfilano davanti a noi una decina di automezzi pesanti, sembrano dei camion blindati.

– Marco, vedi anche tu quello che vedo io?

– Sì, Anna e penso che forse è meglio tornare a casa! Non mi va di ficcare il naso [2] in questioni che non ci riguardano. Anna, fermati! Dove vai?

– Dai, Marco, sbrigati e parla piano, vuoi che ci scoprano?

– Ma chi ci deve scoprire! Uffa, [3] ti seguo, ma solo perché ti amo troppo per lasciarti andare da sola!

I camion sono fermi sul piazzale davanti all'ingresso centrale dell'abbazia.

1. **bivio** : punto in cui una strada si divide in due, si biforca.
2. **ficcare il naso** : essere troppo curioso e invadente.
3. **uffa** : espressione di impazienza.

Una curiosa scoperta

Noi cerchiamo di non farci scoprire, avanziamo lentamente, ma dai camion non scende nessuno.

– Marco, vieni qui dietro, possiamo vedere bene tutto il piazzale senza essere visti.

– Ma Anna! È un cassonetto dell'immondizia; senti che odore!

– Non ti facevo [1] così schizzinoso! [2]

– Non è questione di essere schizzinoso. Questa sera avevo programmi più romantici per noi due!

– Zitto! Qualcosa si muove, ecco scendono dai camion. Finalmente vedremo chi sono!... Non ci posso credere, sono i frati!

I frati adesso aprono i portelloni [3] dei camion e scaricano delle grosse casse. Dalla fatica che fanno devono essere molto pesanti.

– Chissà cosa contengono?

– Sicuramente è del materiale per i restauri.

– Può darsi, Marco, ma hai notato i frati? Guarda loro i

1. **non ti facevo** : non credevo che tu fossi.
2. **schizzinoso** : chi è difficile ad adattarsi.
3. **portelloni** : ampio sportello di un veicolo.

piedi. Portano degli strani scarponi di tipo militare. Solitamente i frati calzano i sandali!

– Effettivamente è un po' strano, ma certamente c'è una spiegazione logica che non ci riguarda.

Anna mi lancia un'occhiataccia di commiserazione [1] e io di rimando [2] le dico di non correre troppo con la fantasia.

– Non fantastico, ma se mettiamo insieme tutti gli elementi che abbiamo raccolto, il quadro che ne esce è abbastanza inquietante. Guarda, hanno finito di scaricare e vanno via. Perché non si fermano qui per la notte? Dove vivono? Accidenti! Senza la moto non possiamo seguirli!

– Già, ci manca anche questo! Anna, andiamo a casa a farci una doccia, puzziamo come una discarica!

1. **occhiataccia di commiserazione** : sguardo rapido e intenso di compassione.
2. **di rimando** : in risposta.

Tra le righe

1 Leggi attentamente il testo e rispondi alle seguenti domande:

1. Che cosa fa Anna sulla spiaggia?
2. Perché Anna è perplessa?
3. Cosa ci deve essere scritto sul cartello da esporre quando si fanno dei lavori di restauro?
4. A quale ministero si deve chiedere il benestare?
5. Che cosa sentono Anna e Marco in prossimità dell'abbazia?
6. Che cosa vedono i nostri due amici?
7. Dove si nascondono per non essere visti?
8. Che cosa viene scaricato dai camion?
9. Quale particolare curioso nota Anna nell'abbigliamento dei frati?
10. Quando i frati vanno via, che cosa vorrebbe fare Anna e che cosa vorrebbe invece fare Marco?

2 Metti in ordine cronologico i seguenti fatti:

a. ☐ Anna e Marco sentono un rombo di motori proveniente dalla strada principale.
b. ☐ I frati scaricano dai camion delle casse molto pesanti.
c. ☐ Anna e Marco vedono dei camion sul piazzale dell'abbazia.
d. ☐ Anna e Marco si nascondono dietro ai cespugli.
e. ☐ Anna e Marco proseguono a piedi verso l'abbazia.
f. ☐ Lasciata la spiaggia, Anna e Marco si dirigono in moto verso l'abbazia.

Caccia alle parole

3 Ascolta attentamente la cassetta e correggi eventuali errori. Si sono infiltrati dei sinonimi, dei contrari e altro:

La spiaggetta in riva al mare è ancora deserta. L'Adriatico è il "mare" dei milanesi che possono andare in ferie. Fin dalla sera tardi intere famigliole arrivano per prendersi persino i posti peggiori. Il capofamiglia fissa l'ombrello nella sabbia mentre la sua compagna unge di olio abbronzante i suoi marmocchi; poi comincia a distribuire sandwich, tramezzini e bibite.

Tra impianti stereo e canti di bambini non riusciamo a trovare un posticino tranquillo dove stendere i nostri asciugamani e i nostri materassini.

Anna non sembra curarsi del fracasso che ci circonda. Si corica sul suo asciugamano, accende il suo registratore e, così isolata dal resto del pianeta, scrive sul suo bloc-notes.

– Anna, sei in collera con me?

– Sì, scusa se non sono di grande compagnia, ma sono molto confusa. Quello che ci è successo ieri notte alla certosa è molto curioso. Quando si fanno degli interventi di restauro è obbligatorio esporre un pannello con il nominativo dell'architetto che segue il lavoro e dell'impresa che lo realizza. Soprattutto ci deve essere l'assenso della sovrintendenza del Ministero dei Lavori Pubblici. Invece non c'è nessun cartello.

S.O.S. grammatica

La proposizione interrogativa diretta e indiretta

1. La proposizione interrogativa diretta esprime una domanda in modo diretto. Nei testi scritti essa viene evidenziata dal punto interrogativo, mentre all'orale è evidenziata dal tono ascendente della voce.

   Anna, sei arrabbiata con me? *Non sei d'accordo?*

2. La proposizione interrogativa indiretta è una proposizione dipendente che esprime una domanda costruita in dipendenza di una proposizione principale.

   Anna mi chiede di fermarci.

   - Il verbo della proposizione principale esprime una domanda o un dubbio: **dire, chiedere, domandare, sapere, indovinare, dubitare.**
   - Tanto le une che le altre vengono introdotte da pronomi o aggettivi interrogativi: **chi, quale, quanto**; da avverbi interrogativi: **dove?, da dove?** o da congiunzioni quali: **quanto, perché, come, se.**
   - Le proposizioni interrogative indirette reggono l'indicativo, il congiuntivo, il condizionale o anche l'infinito:

     Anna, cosa vuoi che ti dica, a volte nei piccoli paesi non c'è bisogno di ufficializzare tutto.

1 **Trasforma il discorso diretto del capitolo in discorso indiretto come nell'esempio:**

Anna, sei arrabbiata con me?
Chiedo ad Anna se è arrabbiata con me.

2 **Trasforma le seguenti proposizioni interrogative dirette in proposizioni interrogative indirette; cerca di variare il verbo della proposizione principale:**

1. Quanti anni sono passati da allora?
2. Quanto costano quei pantaloni?
3. Perché Paola non è venuta all'appuntamento di ieri sera?
4. Quale itinerario seguirete per raggiungere l'abbazia di Morimondo?
5. Con chi andrete al mare la prossima estate?
6. Da dove salpò Cristoforo Colombo per andare in America?
7. Come si chiama l'amica di Luisa che abbiamo conosciuto ieri?
8. È meglio andare al cinema o restare a casa a vedere la tivù?

3 **Trasforma le seguenti frasi in proposizioni interrogative dirette:**

1. Vorrei sapere quanti anni ha tuo fratello.
2. La professoressa ha domandato a Rita se avesse fatto i compiti.
3. Mi domando se sia meglio prendere il Pendolino o l'aereo per Roma.
4. La mamma mi ha chiesto a che ora rientrerò questa sera, ma non ho saputo risponderle.
5. Marco chiede ad Anna se sia arrabbiata con lui.
6. Non so come tu faccia a mangiar così tanto.
7. Indovina chi ha visto Marco all'abbazia.
8. Dimmi che cosa farai da grande.

Parole, parole, parole...

1 Completa il testo con le parole qui sotto:

ancora – asciugamani – bagnino – boa – canna da pesca
castelli – costume da bagno – creme abbronzanti
gommone – oli solari – ombrelloni – palette – sabbia
scogli – sdraio – secchiellli – sole – stuoie

Una lieve brezza marina increspava la superficie del mare portando sulla riva onde lente ed un intenso profumo di salsedine. L'acqua era trasparente e consentiva di vedere il fondale.

La baia, sabbiosa al centro, era il paradiso dei bambini che con .... e .... costruivano .... di sabbia. Sedute sulle loro ...., sotto agli ...., le mamme li sorvegliavano attente. Un bimbo un po' freddoloso esitava ad immergersi, l'acqua gli arrivava al .... Al largo, dei ragazzi nuotavano verso la ...., mentre un .... osservava con occhio vigile che tutto fosse sotto controllo. In lontananza, si vedeva una coppia di giovani su un .... Poco più al largo, si poteva riconoscere la barca di un pescatore che, gettata l'.........................., stava gettando le reti in mare. La spiaggetta di .... lasciava il posto a caldi .... sui quali ragazze in bikini, distese su .... e .... si abbronzavano al sole di agosto. Le loro pelli cosparse di .... e .... si difendevano dai raggi del .... Poco lontano, c'era un pescatore con la ....

Mano alla penna

1 **È estate, sono le due del pomeriggio, la spiaggia è assolata, improvvisamente scoppia il temporale...**

2 **Formula delle ipotesi circa il contenuto delle casse scaricate dai camion.**

3 **Immagina di trovarti in una situazione simile a quella di Anna e Marco. Descrivila, sottolineando in particolare il tuo stato d'animo.**

I Documenti

Leggi il testo qui accanto e rispondi alle seguenti domande:

1. Dove nasce il monachesimo?
2. Chi sono gli eremiti?
3. Dove fonda il convento San Benedetto?
4. Che cosa stabilisce la regola dei benedettini?
5. Che cosa fanno i monaci durante le loro giornate?
6. A cosa assomiglia l'abbazia? Come sono suddivisi gli spazi?

Il monachesimo nasce in oriente, nei deserti del basso Egitto, della Siria e della Palestina. La sua prima manifestazione è l'eremitismo. Gli eremiti rinunciano alla vita mondana e vivono in caverne o capanne. Si sviluppa successivamente la vita in piccole comunità e poi la vita monacale con la regola dettata da San Benedetto.

San Benedetto nasce a Norcia verso il 480 da un'agiata famiglia di agricoltori. Prima si ritira a vita eremitica presso Subiaco e poi verso Cassino dove fonda il convento di Montecassino che sarà il centro monastico più importante di tutto l'occidente.

La nuova regola stabilisce che i benedettini non devono essere soltanto dei contemplanti ma devono dedicarsi anche ad attività lavorative; infatti il loro motto è "Ora et labora" (Prega e Lavora).

I monaci bonificano terreni, assistono i poveri, danno asilo ai perseguitati, lavorano come muratori e falegnami, dipingono immagini sacre, studiano le scritture, raccolgono e trascrivono i testi della cultura pagana.

Ogni monastero è giuridicamente ed economicamente indipendente; i monaci dipendono dall'abate che è maestro, difensore e giudice.

Ogni abbazia è una cittadella, talvolta fortificata con torri e mura di cinta, al cui interno si trovano laboratori, orti, granai, stalle. Ci sono alloggi per i pellegrini ma anche una biblioteca, un archivio ed i dormitori per i monaci.

(adattato da "Storia delle Marche",
a cura di F. Bertini,
Il Resto del Carlino)

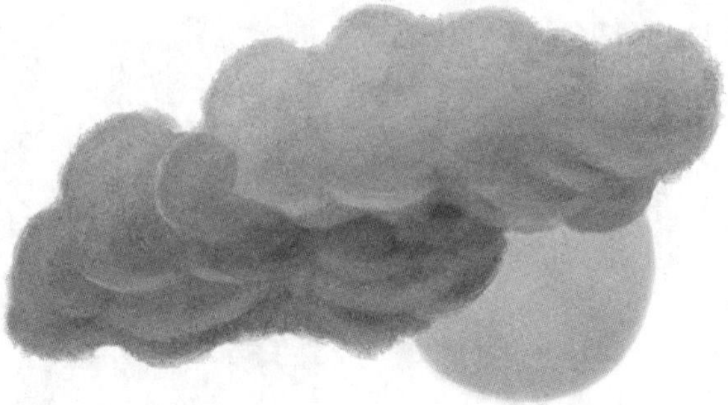

Capitolo 4

Il mistero si complica

Finalmente sono sotto la doccia, mi sfrego la pelle con il guanto di crine e il sapone per togliermi di dosso [1] l'odore d'immondizia... e intanto penso, ma cosa penso? Anna mi ha messo la pulce nell'orecchio [2] e se davvero ci fosse qualcosa di misterioso all'abbazia?

Voi cosa fareste al mio posto? Se dico ad Anna che sbaglia e si inventa le cose, posso dire addio alla vacanza, ma se

1. **togliermi di dosso** : levare, eliminare dal corpo.
2. **ha messo la pulce nell'orecchio** : ha insinuato un dubbio.

Il mistero si complica

l'assecondo [1] in questa sua ipotesi comunque non sarà la vacanza che ho tanto sognato. Per ora è meglio non pensarci; come si dice, la notte è giovane e noi andiamo a fare tardi in discoteca.

Anna mi aspetta di sotto; è meglio che mi sbrighi se non voglio trovarla imbronciata. [2]

Dopo una doccia ci si sente molto meglio, come rinati; mi vesto e scendo.

Anna è seduta sul divano e sfoglia un vecchio libro sull'architettura lombarda; deve averlo trovato nella libreria del nonno.

– Sono pronto, andiamo?

– Sai, Marco, questo libro è molto interessante, credi che possa tenerlo?

– Tienilo pure, sono anni che nessuno lo sfoglia.

– Allora in quale discoteca mi porti?

– Abbiamo due alternative. La prima è una discoteca all'aperto con le piscine, ma anche con tante zanzare. La seconda è una piccola discoteca al chiuso, ma con l'aria condizionata. A te la scelta!

1. **assecondo** : favorisco, soddisfo (questa sua ipotesi).
2. **trovarla imbronciata** : trovarla con il broncio, con un'espressione contrariata, infastidita.

– Scelgo quella con l'aria condizionata.

– Ottimo!

Usciamo di casa e saliamo sulla moto. I nostri caschi sono dotati di interfono, [1] ma nonostante ciò, non comunichiamo tra noi per tutto il tragitto. Nessuno dei due vuole commentare quello che abbiamo visto stasera all'abbazia.

Anna probabilmente non vuole innervosirmi, almeno per questa sera. So già che domani mattina, appena aprirà gli occhi, mi tormenterà con una serie di quesiti. Io, dal canto mio, [2] voglio approfittare di questa tregua. Arriviamo in discoteca così, in silenzio. Non c'è molta gente, per fortuna.

Entriamo e ci buttiamo [3] subito in pista. Dopo una decina di minuti la tensione che c'è fra di noi sparisce e ridiamo e scherziamo senza pensieri. Questa sì che è vita! Anna balla senza tregua; mi domando dove riesca a trovare tanta energia. Le chiedo:

– Vuoi bere qualcosa?

– Sì, grazie, vorrei un'acqua tonica con una fettina di limone.

1. **dotati di interfono** : equipaggiati da sistema acustico di comunicazione.
2. **dal canto mio** : per quanto mi riguarda.
3. **ci buttiamo** : (fig.) ci lanciamo.

Il mistero si complica

Vado al bar, Anna intanto gironzola [1] intorno alla pista; immagino per cercare un divanetto tranquillo dove poterci riposare e bere le nostre bibite. Concentrato sulle ordinazioni, la perdo di vista. [2] Faccio un giro della pista e non la vedo più; ma dov'è finita? Cerco ancora e vado a sbirciare [3] anche i divanetti più appartati. [4] Di lei nemmeno l'ombra! In compenso molte coppiette mi lanciano occhiate cariche d'odio. Perfetto! Ora faccio anche la figura del guardone! [5] Comincio ad essere preoccupato. Forse è andata ai bagni. Forse non si sente bene! Vado a cercarla ai bagni delle donne, ma non posso entrare e perciò aspetto fuori. Finalmente arriva una ragazza, le chiedo di vedere se in bagno c'è una ragazza bruna con un vestito rosso attillato. [6]

La ragazza prima mi guarda male [7] poi, forse perché le faccio pena, acconsente [8] e va a vedere. Poco dopo esce e mi dice che in bagno non c'è nessuno:

– Forse la tua ragazza ti ha piantato! Chissà, magari si è trovata un altro ragazzo e se n'è andata!

1. **gironzola** : gira senza meta.
2. **perdo di vista** : non la vedo più, non so dove sia.
3. **sbirciare** : guardare di sfuggita, senza farsi notare.
4. **appartati** : in disparte, isolati.
5. **guardone** : chi per morbosa curiosità spia le nudità o gli atti sessuali altrui.
6. **attillato** : che aderisce al corpo, mettendone in risalto le forme.
7. **guarda male** : guarda con disapprovazione.
8. **acconsente** : accetta.

– Ma cosa dici! Anna non è quel genere di ragazza! Lei non mi farebbe mai una cosa del genere!

– Come sei ingenuo! Si vede che non conosci bene le donne! Posso fare qualcos'altro per te? Io sono brava a consolare cuori infranti! [1]

Neanche le rispondo, sono scioccato! Essere adescato [2] così brutalmente!

Anna, ma dove sei?

Comincio a sudare, devo andare a rinfrescarmi un po'. Mi dirigo al bagno maschile e allora, appoggiata ad una colonna, fra una fila di uomini che aspettano il loro turno per andare al bagno, scorgo [3] Anna!

– Anna, che cosa ci fai qui? Dai, torniamo di là in sala, questa è una situazione imbarazzante!

– No, non possiamo andare via! Tu non puoi immaginare chi ho visto entrare in quel bagno!

– Ti prego, non dirmelo! Senti, Anna, devi smetterla, tu non sei la "Signora in giallo"! [4]

– Ma no, Marco, devi credermi è una cosa seria. Anch'io

1. **cuori infranti** : delusi in amore.
2. **essere adescato** : essere attratto con ogni mezzo e lusinga.
3. **scorgo** : riesco a vedere.
4. La protagonista di un serial televisivo. Si tratta di una scrittrice che si diletta nella soluzione di casi difficili.

Il mistero si complica

all'inizio ho pensato di avere le allucinazioni, [1] ma non mi sbaglio, è proprio lui!

– Lui chi?

– Il frate!

– Un frate in discoteca?

– Non un frate, il frate! Quello che per poco non ci ha investito stamattina all'abbazia!

– Ma dai. Non è possibile! Quando mai un frate va a ballare?

– No, Marco, lui è in borghese, [2] senza la tonaca. [3] È vestito come noi e non si comporta certo da frate!

– E allora non può essere il frate, ti sarai di certo confusa, magari è qualcuno che gli assomiglia.

– No, sono sicura che è lui! E quando lo vedrai anche tu ti convincerai.

– Anna, mi dispiace, ma non resto qui a fare una figuraccia!

– Eccolo, esce dal bagno. Guardalo bene e poi dimmi che non è lui!

Sono sbalordito! [4] Effettivamente sembra il fratello gemello del frate, ma la mia mente logica e razionale mi impedisce di credere che quello che vedo è il frate!

1. **avere le allucinazioni** : vedere cose inesistenti.
2. **in borghese** : in abito civile.
3. **tonaca** : abito dei frati e delle monache, lungo fino ai piedi.
4. **sbalordito** : stupito.

– E allora, cosa mi dici? È o non è il frate?

– Gli assomiglia molto, ma non posso credere che sia lui!

– Anch'io non ci credevo, ma poi l'ho sentito parlare e anche la voce è identica.
Mi è venuta un'idea! Vai a chiedergli una sigaretta. Ti risponderà certamente e così potrai sentire la sua voce. Ti prego, fai questo per me!

– Questa storia non mi piace, ma lo faccio. Poi, però, non chiedermi più niente. Questa storia deve finire!

Lo seguo fino alla pista da ballo, sono molto imbarazzato, ma se non lo faccio non riuscirò a togliermi il dubbio che sia proprio il frate!

Voi non ditelo ad Anna, ma anch'io comincio a credere che sia il frate. Del resto, però, non voglio alimentare le sue fantasie, non voglio vestire i panni dell'investigatore.

– Mi scusi, può offrirmi una sigaretta?

Il "frate" si volta e mi scruta. [1] Ho la sensazione che mi abbia riconosciuto. E adesso cosa faccio?

– Prego, però sono sigarette molto forti.

Il frate mi porge un pacchetto di sigarette di marca straniera non in commercio in Italia. Io ne prendo una e lo ringrazio.

– Vuoi accendere?

Il frate mi porge anche l'accendino.

1. **scruta** : osserva con attenzione.

Il mistero si complica

Io gli rispondo di sì, anche se non fumo. Non posso tirarmi indietro, potrebbe insospettirsi.

Torno da Anna sconquassato da forti colpi di tosse. [1] Appena mi riprendo, dico ad Anna che sono un po' stanco e voglio andare a dormire.

– Sì, Marco, andiamo a casa, ma dimmi: allora è il frate?

– Sono confuso. La voce effettivamente è identica, ma non ci capisco niente, proprio non so cosa pensare! Ora ho solo voglia di dormire.

– Anch'io sono stanca. È stata una giornata molto lunga!

1. **sconquassato da forti colpi di tosse** : scosso da una tosse violenta.

Tra le righe

1 Segna con una ✘ la risposta esatta alle seguenti domande:

1. Dov'è Marco?
   - a. ☐ È sotto la doccia.
   - b. ☐ È nella vasca da bagno.
   - c. ☐ È nella vasca a idromassaggio.
2. Quale discoteca sceglie Anna?
   - a. ☐ La discoteca all'aperto con le piscine e le zanzare.
   - b. ☐ La discoteca piccola, ma molto intima.
   - c. ☐ La discoteca al chiuso, ma con l'aria condizionata.
3. Anna sparisce. Dove la ritrova Marco?
   - a. ☐ Nell'atrio del bagno degli uomini, fra una fila di persone che aspettano il loro turno.
   - b. ☐ A parlare con una ragazza nel bagno delle donne.
   - c. ☐ Al bancone del bar, mentre fa la fila per fare un'ordinazione.
4. Chi ha visto Anna?
   - a. ☐ Uno degli uomini che scaricavano le casse davanti all'abbazia.
   - b. ☐ Uno degli anziani con cui hanno giocato a carte la prima sera da Rosa.
   - c. ☐ Il frate che ha rischiato di investirla.
5. Marco deve verificare le ipotesi di Anna. Cosa chiede al supposto frate in borghese?
   - a. ☐ Una sigaretta.
   - b. ☐ Un sigaro.
   - c. ☐ Un accendino.

Caccia alle parole

2 Hai buona memoria? Ascolta attentamente la cassetta, quindi completa il testo dopo aver scelto la parola esatta di ogni terna:

Finalmente sono sotto la doccia, mi sfrego la pelle con il guanto di .... (pelle, crine, plastica) e .... (il sapone, i sali, il bagno schiuma) per togliermi di dosso .... (il profumo, il sentore, l'odore) d'immondizia... e intanto penso, ma cosa penso? Anna mi ha messo la .... (mosca, pulce, zanzara) nell'orecchio e se davvero ci fosse qualcosa di .... (curioso, losco, misterioso) all'abbazia?

Voi cosa fareste al mio posto? Se dico ad Anna che sbaglia e .... (si inventa, crea, fabbrica) le cose, posso dire .... (ciao, arrivederci, addio) .... (al fine settimana, al soggiorno, alla vacanza), ma se l'assecondo in .... (questa sua certezza, questa sua ipotesi, questo suo desiderio) comunque non sarà la vacanza che ho tanto sognato. Per ora è meglio non pensarci; come si dice, la notte è .... (bambina, giovane, vecchia) e noi andiamo a fare tardi in .... (paninoteca, spaghetteria, discoteca).

Anna mi aspetta .... (fuori, di sotto, di sopra); è meglio che mi sbrighi se non voglio trovarla .... (imbronciata, arrabbiata, annoiata).

S.O.S. Grammatica

I Pronomi Personali

Pronomi personali				
soggetto forma atona	**complemento forma tonica**	**riflessivi forma atona**	**forma tonica**	
io	mi	me	mi	
tu	ti	te	ti	
egli, lui, esso	lo, gli, ne	lui, ciò	si	sé
ella, lei, essa	la, le, ne	lei	si	sé
noi	ci	noi	ci	
voi	vi	voi	vi	
essi, loro	li, ne, si	essi, loro, sé	si	sé
esse, loro	le, ne, si	esse, loro, sé	si	sé

- I pronomi personali complemento si usano per sostituire un complemento oggetto, un complemento di termine o indiretto che già si conosce, in modo da evitare una ripetizione.

  Anna mi aspetta di sotto.
  Le chiedo: vuoi bere qualcosa?

- I pronomi atoni precedono generalmente il verbo, tranne quando il verbo è all'infinito, al gerundio o all'imperativo (non però alla terza persona della forma di cortesia) e con "Ecco":

  Voi non ditelo ad Anna.
  Eccoci qua!

- Con i verbi servili: volere, potere, dovere, i pronomi personali complemento possono precedere o seguire il verbo:

  È meglio che mi sbrighi se non voglio trovarla imbronciata.

  È meglio che mi sbrighi se non la voglio trovare imbronciata.

- I pronomi tonici possono precedere o seguire il verbo:

  Questa storia non mi piace.
  A me questa storia non piace.

- I pronomi personali riflessivi indicano che l'azione compiuta dal soggetto si riflette sul soggetto stesso:

  Mi vesto e scendo.

1 **Individua nel capitolo le espressioni in cui compaiono pronomi personali complemento e completa la griglia qui sotto:**

compl. oggetto	compl. di termine	compl. indiretto

2 **Individua ora le espressioni del capitolo in cui compaiono pronomi personali riflessivi.**

3 **Suddividi le espressioni degli esercizi precedenti distinguendo le forme atone e le forme toniche:**

forme atone	forme toniche

4 **Trasforma le seguenti frasi usando i pronomi personali complemento:**

1. Chiedi a Aldo di non fare rumore quando rientra tardi.
2. Fate sapere ai vostri amici quando sarà pronto il pranzo.
3. Sara e Luigi hanno invitato i loro amici nella loro casa al mare.
4. Tieni tu le chiavi di casa così potrai rientrare quando vuoi.
5. Parlami dei tuoi problemi, cercherò di aiutarti.
6. Vado a prendere mio fratello all'aeroporto.
7. Anna va a comprare l'ultimo CD di Eros Ramazzotti.
8. Posso prendere la tua macchina? La mia è in panne.

5 **Trasforma le seguenti frasi come nell'esempio:**

È un segreto che ormai puoi svelare tranquillamente.
Puoi svelarlo tranquillamente. / Lo puoi svelare tranquillamente.

1. Devi dire la verità.
2. Vuoi bere un caffè?
3. Puoi presentarmi tua sorella?
4. Paola, puoi aiutare la mamma a riordinare la casa?
5. Anna sa parlare tre lingue in maniera perfetta.
6. Per uscire devi chiedere il permesso ai tuoi genitori.
7. Posso chiederti una cortesia?
8. Prima di vedere la televisione, dovete fare i compiti.

Parole, parole, parole...

Basta poco

Leggi le seguenti parole e cambia una lettera in modo da ottenere le parole corrispondenti alle definizioni:

1.	doccia	Duro come la ....
2.	sapone	Un ambiente di casa ....
3.	posto	Si fa quando si augura "Buon appetito" ....
4.	cose	Ce ne sono tante in una città ....
5.	libro	Dieci decilitri fanno un ....
6.	odio	Un condimento ....
7.	bagni	Insetti che fanno la tela ....

Mano alla penna

1 **Come preferisci passare le tue serate?**

2 **Quali occasioni hai per incontrare i tuoi amici?**

3 **Discuti i pro e i contro della discoteca.**

4 **Immagina che il nostro uomo misterioso affronti Anna all'uscita dei bagni. Che cosa le direbbe?**

5 **Mettiti nei panni di Anna e di Marco e formula delle ipotesi circa il nostro uomo misterioso.**

Dossier

Chi sono e che cosa vogliono i giovani d'oggi? Leggi attentamente gli articoli qui sotto ed esprimi il tuo giudizio.

ADOLESCENTI FINO A TRENT'ANNI

I giovani di fine millennio non hanno tanta voglia di diventare grandi, né di dichiarare guerra a mamma e papà. La metà dei ragazzi e circa un terzo delle ragazze alla soglia dei trent'anni vivono ancora con i genitori. Il fenomeno della cosiddetta famiglia "lunga" è l'aspetto particolare di questa generazione. Molte cose sono cambiate in questi ultimi anni: la conflittualità, ad esempio, non esiste quasi più: anche se non in accordo con le regole e i valori dei genitori, tuttavia all'interno della famiglia si seguono certi dettami. Per certi aspetti, i giovani tra i 14 ed i 19 anni sembrano cioè apatici nei confronti di ciò che li circonda. I ragazzi curiosi, aperti, disposti a confrontarsi con il diverso e amanti del rischio sono stati sostituiti da una generazione di "nuovi anziani". Preoccupati per il futuro e per le incertezze della situazione economica e sociale, dopo Tangentopoli e Mani pulite, vivono in un clima di passività e disincanto, come se volessero stare a vedere quello che succede. Intanto, ottengono tutto e subito, senza alcuna fatica. E questo li porta a non desiderare più nulla. Ma la responsabilità è da attribuire anche agli adulti e alla società, ormai incapaci di trasmettere ai figli ideali e valori in cui credere.

Genitori o amici?

Il 37% dei teen ager dichiara di andare molto d'accordo con i genitori e il 54% abbastanza, il 39% ritiene di avere molta libertà e il 51% abbastanza. Ma esiste anche il rovescio della medaglia: il 30% dei ragazzi ha poca voglia di diventare adulto, il 12% nessuna. La famiglia in cui tutti sono amici e nessuno genitore, determina il ritardo della nascita sociale, cioè del momento in cui si diventa indipendenti. Perciò il giovane, che non ha la possibilità di misurarsi con le difficoltà della vita, si lascia andare a sogni di onnipotenza destinati a infrangersi. La delusione è dietro l'angolo. E si porta appresso ansia, angoscia, depressione, a volte anche gravi disturbi alimentari, come l'anoressia, dicono gli esperti.

Se la trasgressione diventa un pericolo...

La sigaretta di nascosto. La bevuta in compagnia. La bravata con gli amici. Storie di ordinaria trasgressione, che spesso sono un modo per richiamare l'attenzione su di sé ed essere accettati dai coetanei. Bisogna però che i comportamenti devianti non si trasformino in un'abitudine: il gruppo delinquenziale da cui è difficile uscire, il guadagno facile ottenuto in modo illecito, la dipendenza da sostanze stupefacenti.

Oltre il 30% dei giovani attraversa questo periodo senza problemi. Le situazioni davvero a rischio sono facilmente riconoscibili: violenza, furti ripetuti, frequenti e ingiustificate assenze da casa, rifiuto totale del dialogo con i genitori. Di fronte a queste condizioni, la famiglia deve muoversi in modo concreto: stabilire alcune regole, anche poche, ma chiare; solo ponendo un limite preciso ci si può rendere conto delle violazioni gravi. Ognuna di esse è il segno che il figlio non rispetta il contratto e che i genitori non sono capaci di farlo rispettare. Ma c'è anche un altro aspetto da tenere presente. Gli adolescenti oggi si trasformano a seconda della situazione: possono essere bravi studenti a scuola, avere un buon dialogo con i genitori, ma comportarsi in modo trasgressivo quando si trovano con gli amici. È tipico il caso dei ragazzi 'per bene' che, al sabato sera, fanno gare spericolate con l'auto o assumono sostanze euforizzanti. Spesso i genitori non sono a conoscenza di questa situazione. Ma, il più delle volte, girano la testa dall'altra parte perché non vogliono accettare un'immagine del figlio diversa dalla maschera da bravo ragazzo che hanno sempre conosciuto. Il problema quindi si sposta sugli adulti. Per risolverlo è necessario l'appoggio di un osservatore esterno, uno psicologo, che aiuti la famiglia a sciogliere le sue contraddizioni.

(libero adattamento da *Donna Moderna*)

L'illusione di una marcia in più

Eroina, cocaina, crack, marijuana, ecstasy: le sostanze stupefacenti sul mercato sono sempre più accessibili. In passato la molla scattava soprattutto quando insorgevano problemi con la famiglia, con il lavoro, con la società. La droga rappresentava cioè la fuga da una situazione di profondo disagio. Oggi invece il giovane cerca qualcosa in più che gli permetta di acquisire una personalità più spigliata e disinvolta. È un modo per rompere i freni inibitori e superare la timidezza e la paura degli altri. Il 17% ritiene che provarle una o due volte non sia poi così grave; per il 27% "farsi una canna" non dovrebbe essere giudicato illegale. E infine per il 68% il drogato è una persona come tutte le altre e non deve essere considerato anormale. Due dati che destano un po' di preoccupazione riguardano l'informazione sugli stupefacenti, decisamente scarsa: per il 14% l'eroina crea assuefazione e dipendenza solo in chi non è capace di controllarsi, mentre il 7% pensa che se un ragazzo fuma uno spinello, poi non può più smettere.

Capitolo 5

Uno strano incontro

Non riesco a dormire. Mi agito nel letto. In testa mi frullano [1] tanti pensieri e dubbi.

E se Anna avesse ragione? Se davvero all'abbazia stesse succedendo qualcosa di strano? Dovremmo tenerci alla larga da questa faccenda. Temo però che Anna non accetterebbe mai di fare come se nulla fosse successo. Devo analizzare lucidamente ogni elemento a mia disposizione.

Punto primo: all'abbazia stanno facendo dei lavori e questo

1. **mi frullano** : si susseguono, si agitano.

è fuor di dubbio! Ma è vero anche che, quando si fanno dei restauri, la cosa è di pubblico dominio [1] mentre, in questo caso, è tutto avvolto da segreto. [2] Perché?

Punto secondo: dei lavori se ne dovrebbe occupare un'impresa, non certo i frati. Ma in questo caso, sono i frati a fare il lavoro; non solo, conducono anche i camion. Tutto ciò è molto strano!

Punto terzo: perché l'uso di camion molto simili a quelli militari? Perché scaricare delle casse, di sera, quando non c'è in giro [3] nessuno? E cosa contengono quelle casse?

Punto quarto: perché i frati calzano degli scarponi pesanti? Non è molto logico. Siamo in estate e i frati, che anche in inverno portano i sandali, a ragion di logica dovrebbero portarli anche in estate. Non vi pare?

Punto quinto: l'uomo in discoteca. Sono sicurissimo, quell'uomo e il frate sono la stessa persona! Già, ma allora, perché un frate dovrebbe andare in discoteca? Oltre tutto con addosso abiti borghesi? Non è strano che fumi sigarette di marca straniera non commercializzate da noi? Dove se le procura?

In definitiva, cos'hanno da nascondere questi frati? Ma sono dei frati? E se non sono frati veri, allora chi sono? E i veri frati dove sono finiti?

1. **di pubblico dominio** : noto a tutti.
2. **avvolto da segreto** : coperto da segreto.
3. **in giro** : in circolazione.

Mistero all'Abbazia

Oh mamma! Cosa vado a pensare! Cosa mi succede? Comincio a ragionare come Anna!

Mi volto a guardarla. Dorme come una bambina. Beata lei! Però non è giusto! Prima mi mette in testa [1] strane idee e poi dorme come se non fosse successo nulla!

Ho passato tutta la notte a rigirarmi nel letto. Sono le sei del mattino e sono già in piedi. Mi vesto senza far rumore per non svegliare Anna ed esco.

Ho bisogno di prendere un po' d'aria. Comincio a passeggiare; il paese è deserto, tutti ancora dormono, in apparenza sembra tutto tranquillo. Senza accorgermene mi ritrovo sulla strada che conduce all'abbazia, proseguo fino al piazzale e anche qui è tutto tranquillo. Faccio un giro intorno al perimetro della chiesa e non noto niente di strano.

Perché sono venuto qui? Cosa penso di trovare? È meglio che torni indietro, se Anna si sveglia e non mi trova di sicuro si spaventa.

All'improvviso sento provenire un rumore da dietro un cespuglio. Mi faccio coraggio [2] e vado a vedere. Sdraiato su alcuni cartoni c'è un barbone. [3] Non so definire la sua età, talmente è sporco e i suoi vestiti sono tutti strappati. Si lamenta, deve essere ubriaco o forse sta male. Mi avvicino e lo

1. **mette in testa** : fa nascere, insinua.
2. **mi faccio coraggio** : mi do la forza d'animo necessaria a superare una circostanza difficile.
3. **barbone** : vagabondo, persona senza fissa dimora, emarginato.

·D·

chiamo. Lui si volta e comincia a parlare a ruota libera.[1] Parla di piani segreti, di distruzione del mondo, di Dio che ha mandato i soldati per spiarci. Dice che nessuno si salverà, che vengono di notte con grandi casse per portarci via.

A un certo punto si interrompe, mi dice che ha sete, vuole qualcosa da bere. Io non ho niente da dargli, lui allora si infuria,[2] dice che sono uno di loro e comincia a raccogliere dei sassi per tirarmeli. Io allora mi allontano di corsa. Sono sconcertato,[3] che cosa avrà voluto dire, forse ha visto qualcosa o forse è solo annebbiato dall'alcool?[4]

Ma qualcosa deve aver visto, ne sono sicuro perché anch'io ieri sera ho visto le casse!

Calma, ripeto a me stesso, lui è un alcolizzato, io no. Le casse non servono certo per portarci via, ma per i lavori nell'abbazia. Non devo farmi suggestionare[5] da quel barbone.

Immerso nei miei pensieri,[6] arrivo a casa. Anna è già sveglia e sta preparando la sua attrezzatura fotografica.

1. **parlare a ruota libera** : parlare dando libero sfogo ai pensieri.
2. **si infuria** : si adira, si arrabbia.
3. **sconcertato** : disorientato, turbato.
4. **è solo annebbiato dall'alcool** : la sua mente non è lucida a causa di abuso di alcool.
5. **farmi suggestionare** : lasciarmi influenzare.
6. **immerso nei miei pensieri** : con la mente concentrata sui miei pensieri.

Uno strano incontro

– Allora? Sei andato all'abbazia? Scoperto qualcosa?

– No, cioè sì. Sono andato all'abbazia, no, non ho scoperto niente di nuovo... a parte uno strano incontro che ho fatto!

– Chi hai incontrato? Racconta!

– C'è un barbone che dorme dietro all'abbazia tra i cespugli. È un alcolizzato, perciò bisogna prendere con le pinze [1] ciò che dice. Comunque anche lui ha visto le casse e dice che sono i soldati a trasportarle, ma, tieniti forte, perché sostiene che sono mandati da Dio per distruggerci!

– È chiaro che non sono soldati di Dio, ma forse sono realmente dei soldati. Io dico che dobbiamo cercare di entrare nell'abbazia e scattare delle foto. Marco, sei d'accordo con me?

– Sì, questa volta sono d'accordo con te! Dobbiamo venire a capo di [2] questo mistero! Non prendiamo la moto, è meglio andare a piedi, si dà meno nell'occhio. [3]

– Spiegami, Marco, perché hai cambiato idea?

– La notte scorsa non sono riuscito a dormire e ora voglio capire. Sono ancora convinto che c'è una spiegazione logica, ma è meglio non scartare [4] nessuna ipotesi. E adesso sbrighiamoci! Prima voglio passare dalla Rosa e chiederle se conosce il barbone che dorme all'abbazia.

1. **prendere con le pinze** : valutare, soppesare, considerare con il beneficio del dubbio.
2. **venire a capo di** : risolvere.
3. **si dà meno nell'occhio** : ci si fa notare di meno, si passa inosservati.
4. **non scartare** : non escludere.

Mistero all'Abbazia

La Rosa ci accoglie con un sorriso:

– Volete fare colazione? Ho fatto una crostata di more [1] ed il caffè è già pronto!

Accettiamo l'invito e ci sediamo al bancone.

– Sai, Rosa, stamane mi sono alzato presto e ho fatto un giro all'abbazia. Là ho incontrato uno strano personaggio, un barbone, tu lo conosci?

– Ti ha fatto del male? Quell'uomo è pazzo e pericoloso, non devi avvicinarti a lui!

È strano. Appena ho nominato quell'uomo, la Rosa ha cambiato umore, mi è sembrata preoccupata.

– Non mi ha fatto del male, mi ha parlato di soldati che occupano l'abbazia. Tu ne sai qualcosa?

– Sono solo delle sciocchezze! Non devi prestargli attenzione! Figuriamoci... [2] dei soldati nell'abbazia!

– Però l'abbazia è chiusa, non si può entrare!

– È vero, Anna, ho dimenticato di dirvi che la stanno restaurando e non si può visitarla. Se vuoi ci sono altre chiese

1. **crostata di more** : torta di pasta frolla cotta al forno, ricoperta di more (ma anche di altri tipi di frutta o marmellata).
2. **figuriamoci** : esclamazione, (qui) certamente no.

da visitare. Più o meno sono tutte uguali! Su, adesso mangiate! Oggi offre la casa!

Sono stupito dal comportamento della Rosa, sembra quasi che nasconda qualcosa.

Mangiamo, la ringraziamo e ci avviamo verso l'abbazia.

Appena usciti Anna mi guarda, stiamo pensando la stessa cosa.

– Marco, la Rosa sa più di quanto ha voluto dirci!

– Lo penso anch'io! Ma cosa vuole nascondere, chi vuole proteggere? Hai visto come si è irrigidita quando le ho parlato del barbone?

– Dobbiamo ritornare da lui e fargli delle domande, poi cercheremo di entrare nell'abbazia.

Tra le righe

1 Leggi con attenzione il testo e indica se le seguenti affermazioni sono vere (V) o false (F):

		V	F
1.	Marco dorme tranquillo. Al suo risveglio ripensa tranquillamente e lucidamente a tutta la faccenda.	☐	☐
2.	Anna dorme come un angioletto.	☐	☐
3.	In paese, Marco incontra il panettiere e il giornalaio.	☐	☐
4.	Marco fa un'ispezione accurata dell'interno dell'abbazia, ma non nota niente di strano.	☐	☐
5.	Un rumore improvviso proviene da dietro un cespuglio.	☐	☐
6.	Marco trova un barboncino sdraiato su alcuni cartoni.	☐	☐
7.	Il barbone chiede da bere a Marco e si infuria con lui perché non ha nulla da dargli.	☐	☐
8.	Rientrando a casa Marco trova Anna che sta facendo colazione.	☐	☐
9.	Marco decide di andare da Rosa per chiederle informazioni sul barbone.	☐	☐
10.	Rosa è disponibile, come sempre, e fornisce ai nostri amici tutte le informazioni che occorrono loro.	☐	☐
11.	Anna e Marco tornano all'abbazia soddisfatti del loro proficuo incontro con Rosa.	☐	☐
12.	Anna e Marco possono finalmente entrare liberamente nell'abbazia.	☐	☐

Caccia alle parole

2 **Ascolta attentamente la cassetta e quindi cerca di completare il testo servendoti dei verbi forniti qui sotto:**

prendere – accorgermene – provenire – definire
parlare – rigirarmi – svegliare – passeggiare – trovare
vedere – spiarci – portarci – essere ubriaco

Ho passato tutta la notte a .... nel letto. Sono le sei del mattino e sono già in piedi. Mi vesto senza far rumore per non .... Anna ed esco.

Ho bisogno di .... un po' d'aria. Comincio a ....; il paese è deserto, tutti ancora dormono, in apparenza sembra tutto tranquillo. Senza .... mi ritrovo sulla strada che conduce all'abbazia, proseguo fino al piazzale e anche qui è tutto tranquillo. Faccio un giro intorno al perimetro della chiesa e non noto niente di strano.

Perché sono venuto qui? Cosa penso di ....? È meglio che torni indietro, se Anna si sveglia e non mi trova di sicuro si spaventa.

All'improvviso sento .... un rumore da dietro un cespuglio. Mi faccio coraggio e vado a .... Sdraiato su alcuni cartoni c'è un barbone. Non so .... la sua età, talmente è sporco e i suoi vestiti sono tutti strappati. Si lamenta, deve .... o forse sta male. Mi avvicino e lo chiamo. Lui si volta e comincia a .... a ruota libera. Parla di piani segreti, di distruzione del mondo, di Dio che ha mandato i soldati per .... Dice che nessuno si salverà, che vengono di notte con grandi casse per .... via.

S.O.S. Grammatica

Il periodo ipotetico

Se Anna si sveglia e non mi trova, di sicuro si spaventa.

E se Anna avesse ragione, se davvero all'abbazia stesse succedendo qualcosa di strano, dovremmo tenerci alla larga da questa faccenda.

- Le proposizioni qui sopra, esprimono le condizioni necessarie al realizzarsi di qualcosa.

  Esse sono costituite da una proposizione principale (apodosi): *si spaventa* e da una subordinata condizionale (protasi) che contiene un'ipotesi: *se si sveglia, se non mi trova.*

- Come sai, questo è il periodo ipotetico. Esso si distingue in:
  Periodo ipotetico della realtà: l'ipotesi è presentata come un fatto reale, sicuro (1° esempio). In tal caso si usa l'indicativo in entrambe le proposizioni.

  Periodo ipotetico della possibilità: l'ipotesi è solo possibile in quanto il fatto espresso nella protasi non è accaduto ma potrebbe accadere. Il verbo della protasi è al congiuntivo imperfetto, quello dell'apodosi è al condizionale (2° esempio).

  Periodo ipotetico dell'irrealtà: l'ipotesi non è vera o è impossibile, riguarda un fatto che non si può realizzare o che non è mai accaduto. Il verbo della protasi è al congiuntivo imperfetto, quello dell'apodosi al condizionale, se l'ipotesi irrealizzabile si riferisce al presente:

  Se avessi un miliardo, comprerei l'abbazia per restaurarla.

  Se invece l'ipotesi irrealizzabile si riferisce al passato, il verbo della protasi è al congiuntivo trapassato, quello dell'apodosi è al condizionale:

  Se l'avessi immaginato, non mi sarei mai lasciato coinvolgere in questa faccenda.

1 **Analizza le seguenti frasi ed indica quale tipo di periodo ipotetico contengono:**

1. Se piove vado al cinema.
2. Se parlassi il tedesco, andrei a vivere in Germania.
3. Se a Paolo piacesse il pesce, preparerei un risotto con i gamberetti.
4. Se ieri fossi andato a casa sua, non lo avresti trovato.
5. Se questa sera ho tempo, vengo a giocare a carte da te.
6. Se avessi i soldi, mi comprerei una bella moto.
7. Se mi fossi ricordato, avrei telefonato a Gabriele per invitarlo.
8. Se tu decidessi di andare a sciare il prossimo week-end, verrei anch'io.
9. Se a mia sorella piacesse Zucchero, la porterei al concerto.
10. Se Federico non superasse l'esame, dovrebbe studiare tutta l'estate.

2 **Completa le seguenti frasi:**

1. Se a Paolo .... (piacere) le barzellette, gli .... (raccontare) l'ultima sui carabinieri.
2. Se la Regione Lombardia .... (organizzare) un corso serale di informatica, lo .... (frequentare).
3. Se .... (sapere), non .... (mancare) all'inaugurazione della mostra.
4. Se .... (uscire), ... (vedersi) davanti al cinema.
5. Se Luisa .... (amare) la cucina cinese, Luca la .... (portare) alla "Muraglia Cinese".
6. Se il distributore .... (aprire), ... (fare) il pieno.

7. Se tu e Giulia .... (fare tardi), ... (avvertire) la mamma.
8. Se non .... (dire) la verità, ... (essere) in un mare di guai.
9. Se .... (volere), ... (potere) iscriverti ad un corso di aerobica.
10. Se non .... (mangiare) la carne, ti .... (cuocere) un uovo.

Parole, parole, parole...

1 Completa la seguente griglia trovando il verbo corrispondente ai sostantivi elencati qui sotto:

Sostantivo	Verbo	Sostantivo	Verbo
agitazione		nascondiglio	
frullatore		vestito	
analisi		passeggiata	
disposizione		stracci	
restauro		immersione	
commercio		trasporto	
occupazione		giro	
pensiero		fumo	

2 Collega le seguenti espressioni, che trovi nel testo, con espressioni di uguale significato:

essere di pubblico dominio •	• non escludere nulla
dare meno nell'occhio •	• inculcare idee bizzarre
mettere in testa strane idee •	• passare inosservati
prendere con le pinze •	• avere la mente piena di pensieri
non scartare nessuna ipotesi •	• essere noto a tutti
frullare tanti pensieri in testa •	• tenere conto di qualcosa con cautela

3 E ora verifica se conosci l'esatto significato del verbo "prendere" nelle seguenti espressioni.

prendere il toro per le corna •	• canzonare qualcuno
prender in giro/ per il naso qualcuno •	• accettare/interpretare positivamente qualcosa
prendere di petto •	• affrontare coraggiosamente una persona, una situazione
prendere per buono •	• credere acriticamente a qualcosa
prendere per oro colato •	• scambiare grossolanamente tra loro due cose
prendere lucciole per lanterne •	• affrontare qualcosa o qualcuno frontalmente
prendersi gioco •	• riposarsi
prendere un abbaglio •	• affermarsi
prender fiato •	• innalzarsi
prender piede •	• burlarsi
prendersela •	• sbagliarsi
prender quota •	• irritarsi, arrabbiarsi

Mano alla penna

1 Immagina di alzarti presto come Marco e di uscire. Descrivi ciò che ti circonda...

2 All'improvviso sento provenire un rumore da dietro un cespuglio...

3 Immagina il dialogo tra Marco e il barbone.

4 Anna si sveglia, Marco non c'è. Che cosa penserà la nostra amica?

5 Perché Rosa si è irrigidita al racconto di Marco? Formula delle ipotesi.

6 Immagina la storia del barbone. Come pensi che sia arrivato a questa scelta di vita?

Intervallo

1 **Chi si nasconde dietro al cespuglio? Per scoprirlo leggi i seguenti indizi.**

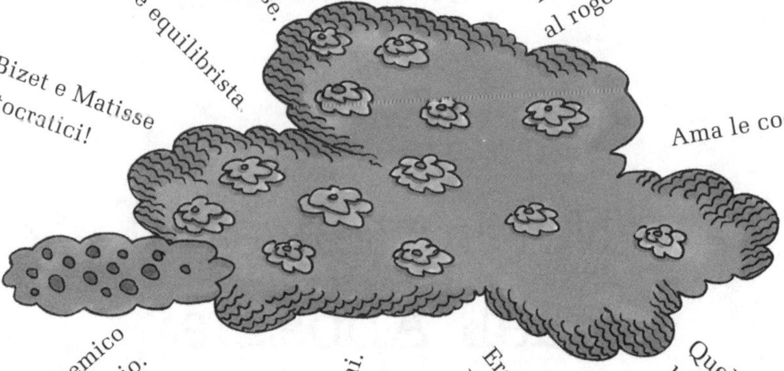

Chi è? ....

Quali sono le favole, i cartoni animati ed i pupazzi citati?

....

2 **Prova tu a nascondere un animale che ami e che conosci bene dietro il cespuglio. Quindi sottoponi l'indovinello ad un compagno o ad un amico.**

Capitolo 6

Nei sotterranei dell'Abbazia

L'abbazia è chiusa, sembra abbandonata. Vi giriamo intorno fino ai cespugli dove stamattina ho incontrato il barbone. Di lui non c'è traccia. Nel senso che non sembra esserci mai stato qualcuno. Sono spariti i cartoni dove dormiva, le bottiglie di vino, gli stracci. Tutto insomma.

– Sei sicuro che è il cespuglio giusto?

– Certo che è il cespuglio giusto!

– E allora lui dov'è?

– Non lo so, non mi è sembrato in condizioni di muoversi.

Nei sotterranei dell'Abbazia

Al massimo, nelle condizioni in cui si trovava, poteva arrivare in paese e noi arriviamo da lì e perché allora non l'abbiamo incontrato?

– Guardiamo un po' intorno, forse si è spostato.

– Chissà come avrà fatto a portare via tutti i suoi stracci ed i cartoni? Devo dire che è un barbone ecologista, prima di andarsene ha ripulito tutto!

– Marco, vieni qui! Guarda questi solchi [1] per terra. Qualcuno è stato trascinato via! Adesso scatto qualche foto.

– Ci sono dei rami spezzati e i solchi arrivano fino a quel portoncino laterale dell'abbazia. Peccato! Il portoncino è chiuso... No! Aspetta, è aperto! Anna, vieni! Entriamo!

Vi devo confessare che ho paura. I panni dell'investigatore mi stanno un po' stretti! Non è che mi manchi il coraggio, solo preferisco muovermi su terreni conosciuti. [2]

Il portoncino si apre su un piccolo corridoio che a sua volta immette [3] nella navata centrale dell'abbazia.

– Non mi pare da restaurare.

– In effetti mi sembra ben conservata! È molto bella! Adesso faccio qualche foto.

– Probabilmente i lavori si svolgono da qualche altra parte, ma dove?

– Ci deve essere una scala che porta nella parte inferiore,

1. **solchi** : tracce profonde nel terreno provocate da qualcosa di pesante.
2. **muovermi su terreni conosciuti** : agire su materie più consone ai miei studi.
3. **immette** : conduce, porta.

solitamente c'è una cripta. Marco, dividiamoci, tu cerchi a destra e io a sinistra.

C'è un silenzio che opprime, sono teso come una corda di violino. [1] Anna invece sembra molto sicura di sé, altro che architetto! La sua professione è l'investigatore!

Sono io il primo a trovare la scala che porta ai sotterranei.

– Anna, l'ho trovata! Qui c'è una scala, vieni!

La scala è alquanto ripida e stretta, gli scalini sono molto consunti. [2] In fondo alla scala è buio.

– Accidenti ho dimenticato di portare una torcia!

– L'ho portata io. Fammi andare avanti per prima, ti faccio strada. [3]

Dovevo immaginarlo, figuriamoci se Anna dimentica di portare la torcia!

Arriviamo in una cripta piuttosto umida. Non c'è niente di interessante, è vuota. Sul fondo, però, c'è una vecchia porta di legno.

– Cosa dici, Anna, andiamo avanti?

– Certamente, siamo arrivati fin qui, non vorrai tirarti indietro proprio adesso!

Per attraversare la porta bisogna chinarsi [4] perché è molto bassa, ma una volta oltrepassata...

1. **teso come una corda di violino** : molto nervoso.
2. **consunti** : consumati dal tempo.
3. **ti faccio strada** : mi metto davanti a te per indicarti la direzione, ti guido.
4. **chinarsi** : piegarsi verso il basso.

·D·

Mistero all'Abbazia

Tenetevi forte!

– Dammi un pizzicotto, [1] voglio essere sicuro di non sognare!

– Non fare lo stupido! Certo che non sogni! Piuttosto, cosa pensi che voglia dire tutto questo?

Siete curiosi di sapere cosa abbiamo trovato? Vi accontento subito! Dietro alla porticina c'è un lungo corridoio, ma non un corridoio qualsiasi, in pietra secolare come ci si potrebbe aspettare in un'antica abbazia. È una galleria ultramoderna, illuminata da forti luci al neon. Le pareti sono ricoperte da materiale liscio e lucido. Sul lato sinistro si aprono delle porte di ferro. Si capisce che è stato sistemato [2] da poco, anzi da pochissimo, probabilmente i lavori non sono ancora ultimati.

– Ci capisci qualcosa?

– No, Anna, mi chiedo a chi possa servire questa struttura, non certo a dei semplici frati che fanno della preghiera una scelta di vita.

– Dobbiamo scoprire cosa c'è dietro quelle porte.

– Hai fotografato il corridoio?

– Sì, e adesso proviamo ad aprire la prima porta.

– Sono sbalordito! Ecco le casse!

– Finalmente! Ora si svela il mistero!

– Dobbiamo agire con cautela, [3] non sappiamo cosa contengano. Ora ne apro una, stai indietro, può essere pericoloso!

1. **pizzicotto** : atto di stringere una parte del corpo tra la punta delle dita.
2. **è stato sistemato** : è stato rimesso a posto.
3. **cautela** : prudenza.

Nei sotterranei dell'Abbazia

– Marco, perché fai quella faccia? Cosa c'è dentro?

– Anna, qui si tratta di una cosa seria. Temo che siamo incappati [1] in un affare che scotta! [2] Guarda tu stessa!

– Armi! Sono armi, mitra, fucili..., ma perché? Che cosa vuol dire?

– Vuol dire che non abbiamo a che fare con dei semplici frati, ma con uomini non certo pacifici! Se ci scoprono, siamo spacciati! [3]

– Dai! Apriamo anche le altre casse!

– Sono tutte armi sofisticate!

– Ora faccio le foto, dobbiamo documentare [4] tutto, altrimenti quando andremo alla polizia, nessuno ci crederà!

– Andiamo a vedere le altre stanze e poi ce la filiamo! [5]

1. **siamo incappati** : siamo capitati involontariamente.
2. **un affare che scotta** : una situazione particolarmente difficile e delicata.
3. **siamo spacciati** : siamo rovinati, la nostra vita è in pericolo.
4. **documentare** : dimostrare qualcosa con delle prove.
5. **ce la filiamo** : ce ne andiamo lestamente.

Mistero all'Abbazia

Ogni stanza è una sorpresa. C'è un'infermeria, un paio di dormitori con tanto di brande e poi, ciliegina sulla torta, [1] una sala operativa.

La sala operativa non è ancora funzionante, ma è già attrezzata di tutto. Ci sono computer, schermi giganti, piante geografiche luminose che coprono un'intera parete, un tavolo a ferro di cavallo e degli schedari.

– Anna, continua a fare fotografie, non devi dimenticare niente. Io guardo gli schedari.

– Hai trovato qualcosa?

– Sì, negli schedari ci sono parecchie carte, in parte in lingua inglese, in parte in italiano. A occhio e croce [2] sembrano piani militari. Non ci capisco granché, la maggior parte è in un codice che non conosco! Anna, pensi di riuscire a fotografare qualche foglio? Magari questi in codice e questi in inglese. Quelli in italiano non contengono informazioni interessanti!

– Ci posso provare. Dammi cinque minuti e poi usciamo di qui.

– È una buona idea, non mi sento tanto al sicuro!

– Ecco fatto! E adesso andiamo, dobbiamo portare i rullini in un luogo sicuro!

1. **ciliegina sulla torta** : (espr.) tocco finale.
2. **a occhio e croce** : pressappoco, all'incirca.

Tra le righe

1 **Leggi attentamente il capitolo, quindi immagina quali sono le domande che hanno determinato le seguenti risposte:**

1. ....
   Girano intorno all'abbazia fino ai cespugli.
2. ....
   No, di lui non c'è più traccia.
3. ....
   Dei solchi per terra e dei rami spezzati.
4. ....
   Sì, il portoncino è aperto.
5. ....
   No, i lavori si svolgono da qualche altra parte.
6. ....
   Anna ha ricordato di portare la torcia.
7. ....
   Conduce ad un corridoio ultramoderno con forti luci al neon, sul quale si aprono alcune porte.
8. ....
   Contengono armi sofisticate.
9. ....
   Un'infermeria, alcuni dormitori ed una sala operativa.
10. ....
   Ci sono piani militari in un codice sconosciuto.

Caccia alle parole

2 Ascolta attentamente la cassetta. Correggi il testo ove necessario.

L'abbazia era chiusa, sembrava abbandonata. Vi avevamo girato intorno fino ai cespugli dove l'altra mattina avevo incontrato il barbone. Di lui non c'era traccia. Nel senso che non sembrava esserci mai stato qualcuno. Erano spariti i cartoni dove aveva dormito, le bottiglie di vino, gli stracci. Tutto insomma.

– Sei sicuro che è il cespuglio giusto?

– Certo che è il cespuglio giusto.

– E allora lui dov'è?

– Non lo so, non mi sembrava in condizioni di muoversi. Al massimo, nelle condizioni in cui si trovava, poteva arrivare in paese e noi siamo arrivati da lì; perché allora non l'abbiamo incontrato?

– Guardiamo un po' intorno, forse si è spostato.

– Chissà come ha fatto a portare via tutti i suoi stracci ed i cartoni? Devo dire che è un barbone ecologista, prima di andarsene ha ripulito tutto!

– Marco, vieni qui! Guarda questi solchi per terra. Qualcuno è stato trascinato via! Adesso scatto qualche foto.

– Ci sono dei rami spezzati e i solchi sono arrivati fino a quel portoncino laterale dell'abbazia. Peccato! Il portoncino è chiuso... No! Aspetta, è aperto! Anna, vieni! Entriamo.

Vi devo confessare che avevo paura. I panni dell'investigatore mi stavano un po' stretti! Non era che mi mancasse il coraggio, solo preferivo muovermi su terreni conosciuti.

S.O.S. Grammatica

Verbi transitivi ed intransitivi

Quando andremo alla polizia, nessuno ci crederà.

- Il verbo si dice transitivo quando l'azione compiuta dal soggetto passa su un oggetto ed intransitivo quando resta sul soggetto stesso.

- I verbi transitivi formano i tempi composti con l'ausiliare avere; alcuni verbi intransitivi formano i tempi composti con l'ausiliare avere, altri con l'ausiliare essere:

  Sono spariti i cartoni dove aveva dormito.

  Ho dimenticato di portare la torcia.

  L'abbazia è chiusa.

- Molti verbi sono esclusivamente transitivi o esclusivamente intransitivi, come **andare**, **partire**:

  Dammi cinque minuti e poi usciamo di qui.

  altri possono essere sia transitivi che intransitivi:

  Le pareti sono ricoperte da un materiale liscio e lucido.

  Ho ricoperto il divano con un gran foulard Bassetti.

- Altri verbi hanno un significato diverso a seconda che siano usati come transitivi o intransitivi:

  Vi giriamo intorno fino ai cespugli.

  La troupe cinematografica gira un film d'avventura.

  Sono teso come una corda di violino.

  La mamma ha teso una corda tra i balconi per stendere i panni.

  Se ci scoprono siamo spacciati!

  Hanno arrestato il falsario che ha spacciato molte banconote da 100.000 lire.

1 **Analizza i verbi del capitolo e inseriscili nella griglia a seconda che siano usati in senso transitivo o intransitivo:**

Verbi transitivi	Verbi intransitivi
....	....
....	....
....	....
....	....

2 **Indica se i verbi delle seguenti frasi sono usati in senso transitivo (ST) o intransitivo (SI):**

1. Finalmente vedo [.....] la vecchia casa di campagna.
2. Ti apro [.....] la porta.
3. L'abbazia è aperta [.....].
4. Porto [.....] in camera le tue valigie.
5. Quand'ero [.....] bambino ci andavo [.....] con il nonno.
6. La Rosa rideva [.....] lasciandomi fare.
7. Ho già fatto [.....] la spesa.
8. Anna scatta [.....] molte foto.
9. L'interruttore è scattato [.....] automaticamente.
10. Lei è rapita [.....] da quest'aura mistica.

3 **Ed ora indica se i verbi delle frasi dell'esercizio precedente sono esclusivamente transitivi o intransitivi. Per quelli che non lo sono, crea una frase usando il verbo con valore opposto.**

Parole, parole, parole...

1 **Scegli la giusta definizione. Ricorda che si tratta di parole ed espressioni che trovi nel testo:**

1. fare strada	**a.** ☐ asfaltare **b.** ☐ progettare **c.** ☐ guidare
2. filarsela	**a.** ☐ scappare **b.** ☐ filare la lana **c.** ☐ corteggiare qualcuno
3. muoversi su terreni conosciuti	**a.** ☐ camminare su terreni coltivati **b.** ☐ muoversi sulle sabbie mobili **c.** ☐ non amare l'imprevisto, pianificare tutto
4. teso come una corda di violino	**a.** ☐ rigido **b.** ☐ nervoso **c.** ☐ intonato
5. a occhio e croce	**a.** ☐ pari pari **b.** ☐ pressappoco **c.** ☐ niente affatto
6. consunti	**a.** ☐ scivolosi **b.** ☐ riassunti **c.** ☐ consumati
7. in un luogo sicuro	**a.** ☐ in un luogo protetto dalla polizia **b.** ☐ in un luogo al riparo da ogni rischio **c.** ☐ in un posto asettico

Mano alla penna

1 Formula delle ipotesi per capire dove sia finito il barbone.

2 Immagina di trovarti al posto dei nostri amici. Ti identifichi maggiormente nella figura di Marco o di Anna e perché?

3 Anna non ha portato la torcia. Il luogo è completamente al buio, che fare?

4 Mettiti nei panni di Anna e Marco: ti trovi nel corridoio ultramoderno quando senti dei passi... Tu, che fai?

5 A cosa servono i piani militari della banda dei frati? Prova a formulare delle ipotesi.

Intervallo

Trova nella griglia le parole elencate qui sotto. Ricorda che le puoi leggere in tutti i sensi: orizzontalmente, verticalmente, diagonalmente, dal basso all'alto e anche da destra a sinistra. Le lettere restanti ti daranno il titolo di un noto romanzo.

abbazia – abside – altare – arte romanica – candele
cattedrale – ceri – chiesa – cripta – croce – dio – duomo
frate – messa – navata centrale – navata laterale – ostia
panche – pregare – prete – pietra secolare – portale – porte
rosone – sacerdote – sagrato – scale – templi

N	A	V	A	T	A	C	E	N	T	R	A	L	E
A	B	B	A	Z	I	A	D	I	O	C	I	L	R
V	S	A	G	R	A	T	O	C	I	R	F	A	A
A	C	A	N	D	E	L	E	N	A	I	R	S	L
T	A	B	S	I	D	E	A	P	I	P	A	E	O
A	C	R	O	C	E	M	P	R	E	T	T	I	C
L	D	U	O	M	O	E	E	R	L	A	E	H	E
A	L	T	A	R	E	C	A	L	E	L	A	C	S
T	P	R	E	T	E	G	O	O	S	T	I	A	A
E	D	T	R	E	E	L	R	O	S	O	N	E	R
R	R	O	P	R	M	E	S	S	A	R	E	T	T
A	P	E	P	C	A	T	T	E	D	R	A	L	E
L	S	A	C	E	R	D	O	T	E	M	P	L	I
E	P	A	N	C	H	E	E	L	A	T	R	O	P

Il titolo è: ....

Capitolo 7

Chi scopre viene scoperto!

Finalmente siamo all'aria aperta. Per fortuna il piazzale è deserto. Ritorniamo frettolosamente a recuperare la moto e poi dritti a casa.

– Adesso dove nascondiamo i rullini?

– In casa sono al sicuro, nessuno sa che abbiamo fatto le foto, quindi non corriamo nessun pericolo, puoi anche lasciarli sul comò in camera da letto. Io sono stanco, e tu, Anna?

– Sono stanchissima, propongo di riposarci e poi di andare

a pranzo da Rosa. Sai, [1] mi domandavo che fine abbia fatto [2] il tuo barbone, nell'abbazia non c'era, ma allora dov'è? E se lo avessero eliminato?

– Possiamo andare, nel pomeriggio, dai carabinieri e denunciarne la scomparsa.

Mi sdraio sul letto e cado in un sonno [3] pieno di incubi, ma mi sveglio poco dopo. Anna non è accanto a me, la chiamo, ma non mi risponde, allora comincio a preoccuparmi. Scendo le scale, non è neanche in cucina, ma dove si è cacciata? [4]

Alla fine la vedo in giardino, si è assopita [5] sulla sdraio. Mi avvicino:

– Anna, svegliati! Andiamo a pranzo, mi è venuta fame!

– Mi sono addormentata, ma perché non hai dormito un po' anche tu?

– Ci ho provato, ma i miei sonni ultimamente sono pieni di incubi!

– Andiamo a mangiare!

La Rosa ci accoglie, come sempre, con un sorriso:

– Cosa vi porto?

– Scegli tu per noi, abbiamo molta fame!

– Cosa avete fatto per essere così affamati?

1. **sai** : formula usata all'inizio e durante un discorso o una narrazione per annunciare qualcosa o per richiamare l'attenzione di chi ascolta.
2. **che fine abbia fatto** : cosa sia accaduto (a qualcuno).
3. **cado in un sonno** : faccio sogni.
4. **si è cacciata** : si è nascosta.
5. **assopita** : addormentata leggermente.

Mistero all'Abbazia

– Abbiamo cercato il..., ahia! Cosa...?

– Abbiamo cercato i sentieri lungo il fiume, c'è molto da camminare!

Anna mi ha appena dato un calcio nello stinco [1] e mi lancia occhiatacce, stavo per fare una gaffe, è meglio non dire cosa abbiamo fatto, neanche alla Rosa.

– Anna scusami, non avevo capito che non vuoi dire... dico sussurrando. [2]

– Non fa niente, ma è meglio non fidarsi!

Mangiamo in silenzio, ma Anna "macina" pensieri [3] in continuazione. Prendiamo il caffè, poi salutiamo e ci dirigiamo frettolosamente verso la caserma dei carabinieri.

Entriamo in caserma e chiediamo di parlare con il "capo".

Ci fanno accomodare in un ufficio dove aspettiamo a lungo. Passa mezz'ora, poi finalmente qualcuno si ricorda di noi.

– Buongiorno ragazzi, posso esservi utile?

– Forse possiamo esserle utili noi, signore. Vogliamo denunciare la scomparsa di una persona.

– È un vostro parente?

– Certo che no! È quel barbone che dorme fra i cespugli all'abbazia.

– Perché pensate che sia scomparso?

1. **stinco** : osso della gamba dell'uomo, dal ginocchio al collo del piede.
2. **sussurrando** : parlando a voce bassa, bisbigliando.
3. **macina pensieri** : (fig.) pensa intensamente.

Chi scopre viene scoperto!

– Perché l'abbiamo cercato per tutta la mattina, ma non l'abbiamo trovato!

– Perché lo cercate? Cosa volete da quell'uomo?

– Aspetta, Anna, lo spiego io, dopo tutto sono io l'unico ad averlo visto.

– Ma allora, l'avete o non l'avete visto?

– Sì, cioè... ecco, stamattina alle sei, io l'ho visto che dormiva vicino all'abbazia e gli ho parlato, ma lui farneticava di uomini armati, di pericolo imminente;[1] allora sono tornato a casa e ho chiesto alla mia ragazza di tornare da lui per vedere se avesse bisogno di cure, ma quando siamo tornati là, alle dieci circa, lui non c'era più.

– Si vede che se n'è andato!

– L'abbiamo pensato anche noi, ma non c'era proprio traccia di lui. I cartoni dove dormiva erano spariti: non può averli portati via lui, non era in condizioni di farlo!

– Ragazzi, io non ho tempo da perdere con gli scherzi! È impossibile che l'abbiate visto! È stato ricoverato in un ospizio da più di un mese.

1. **pericolo imminente** : situazione rischiosa che si verificherà in un futuro molto prossimo.

Ora andate via. Se venite ancora ad importunarmi,[1] vi faccio arrestare!

– Signore, lei non capisce, non è uno scherzo, lui l'ha visto davvero!

– Vieni, Anna, andiamo via! Ci scusi signore, ha ragione lei. Forse ho sognato di vederlo! In questo periodo faccio dei sogni un po' agitati. Ci scusi ancora!

– Non fa niente ragazzi, ora andate!

Devo trascinare via[2] a forza Anna. Lei continua a protestare, ma io ho capito che è tutto inutile. Anche i carabinieri nascondono qualcosa!

– Hai visto come ci ha trattati!

– Calmati, non possiamo contare su di loro. Ho il sospetto che siano coinvolti[3] in questa losca[4] faccenda. Se insistiamo troppo, ci facciamo scoprire e Dio solo sa cosa ci può capitare!

– Marco, siamo ad un punto morto![5] Chi ci può dare ascolto?

– Dobbiamo tornare all'abbazia!

– Marco, ma che dici? Non so se è una buona idea, è pericoloso!

– Sì, è pericoloso, ma dobbiamo farlo. Dobbiamo tornare

1. **importunarmi** : disturbarmi.
2. **trascinare via** : portare via.
3. **coinvolti** : partecipi, implicati.
4. **losca** : (fig.) poco chiara, sporca.
5. **punto morto** : senza possibilità di sviluppo.

nella sala operativa e recuperare dagli schedari tutte le carte. Davanti a delle prove inconfutabili[1] non possono negare!

– A chi le vuoi mostrare? Se i carabinieri sono in combutta[2] con i falsi padri, da chi andremo?

– Cercheremo di metterci in contatto con qualche generale dell'esercito e magari racconteremo la storia anche ai giornali. Se la stampa ne sarà a conoscenza, nessuno potrà toccarci o, peggio, toglierci dalla circolazione!

– E allora, cosa aspettiamo, andiamo all'abbazia!

Come sempre, intorno all'abbazia è tutto tranquillo, anche troppo! Facciamo un giro di ispezione e poi ci introduciamo[3] passando dal portone laterale.

– Per fortuna è aperto.

Scendiamo nella cripta e superiamo la vecchia porticina, poi andiamo diretti alla sala operativa. Accediamo agli schedari e cominciamo a prendere le carte. In tutto non è passata neanche mezz'ora.

– Un gioco da ragazzi. Più facile che rubare la "Nutella"!

Mi sento orgoglioso. Forse anch'io ho la stoffa dell'investigatore![4]

1. **inconfutabili** : innegabili, certe, sicure.
2. **sono in combutta** : hanno gli stessi scopi illeciti o equivoci (di qualcuno).
3. **ci introduciamo** : riusciamo ad entrare furtivamente.
4. **ho la stoffa dell'investigatore** : ho attitudine alla professione di investigatore.

All'improvviso una voce maschile sgradevole e rauca [1] ci gela il sangue: [2]

– Ehi, voi due, cosa fate qui?

Oh no! Non è possibile, ci hanno scoperti!

Mi volto. Ci sono cinque uomini armati fino ai denti. [3] Uno di loro tiene Anna immobilizzata con un braccio dietro alla schiena.

– Lasciala stare! Ci arrendiamo, ma non fateci del male!

L'uomo lascia andare il braccio di Anna e lei si rifugia tra le mie braccia, è terrorizzata!

– Avanti, venite con noi!

Veniamo scortati nel corridoio e di lì verso la cripta e poi su, fino alla navata centrale.

– Dove ci portate?

– Stai zitto e non fare storie!

1. **rauca** : roca, aspra.
2. **ci gela i sangue** : ci fa rabbrividire per la paura, ci dà brividi di paura.
3. **armati fino ai denti** : equipaggiati di molte armi.

Tra le righe

1 Leggi attentamente il testo ed indica se le seguenti affermazioni sono vere (V) o false (F):

	V	F
1. Una volta all'aria aperta Anna è Marco recuperano la moto per tornare a casa.	☐	☐
2. Marco non riesce a dormire.	☐	☐
3. Anna si è addormentata sulla sdraio.	☐	☐
4. Marco sta per dire a Rosa quello che hanno fatto quando Anna gli tira un calcio per farlo tacere.	☐	☐
5. Marco ed Anna raccontano una bugia a Rosa.	☐	☐
6. Anna e Marco vengono subito ricevuti dal comandante dei carabinieri.	☐	☐
7. Marco racconta come sono andati i fatti in quanto è l'unico ad aver visto il barbone.	☐	☐
8. Il comandante si mostra molto interessato al racconto dei ragazzi, li ringrazia dicendo che farà del suo meglio per ritrovare l'uomo.	☐	☐
9. Marco e Anna si dichiarano soddisfatti di come sono andate le cose.	☐	☐
10. Marco propone di contattare qualche generale dell'esercito o qualche giornalista per esporre il loro caso.	☐	☐
11. I ragazzi si introducono nell'abbazia e in mezz'ora scattano molte altre fotografie.	☐	☐
12. Anna e Marco vengono scoperti da cinque uomini armati.	☐	☐

Caccia alle parole

2 Ascolta attentamente la cassetta e correggi eventuali errori:

Entriamo in questura e chiediamo di parlare con il comandante.

Ci fanno accomodare in una stanza dove aspettiamo a lungo. Saranno passati circa trenta minuti, poi finalmente un carabiniere si ricorda di noi.

– Buonasera signori, posso esservi utile?

– Forse possiamo esserle utili noi, signore. Vogliamo denunciare la scomparsa di un uomo.

– È un vostro cugino?

– Certo che no! È quel mendicante che vive tra gli alberi alla cattedrale.

– Perché ritenete che sia scomparso?

– Perché l'abbiamo cercato per tutto il pomeriggio, ma non l'abbiamo trovato!

– Perché lo cercate? Cosa volete da quel barbone?

– Aspetta, Anna, lo spiego io, dopo tutto sono io il solo ad averlo visto.

– Ma allora, l'avete o non l'avete visto?

– Sì, cioè... ecco, ieri mattina alle sette, io l'ho visto che dormiva vicino all'abbazia e gli ho parlato, ma lui farneticava di persone armate, di rischi imminenti; allora sono tornato a casa e ho chiesto alla mia fidanzata di tornare là per vedere se avesse bisogno di qualcosa, ma quando siamo tornati da lui, alle undici circa, lui non c'era più.

– Si vede che se n'è andato!

S.O.S. Grammatica

La forma riflessiva

Mi lavo in fretta. *Ci dirigiamo verso la caserma dei carabinieri.*

- I verbi transitivi hanno anche una forma riflessiva, in cui il soggetto compie ed al tempo stesso subisce l'azione.

- Ma consideriamo le seguenti frasi:

  Andrea lava la moto. *Andrea si lava in fretta.*

  In entrambe le frasi l'azione di lavare passa da un soggetto ad un oggetto; ma, mentre nel primo caso l'oggetto che subisce l'azione è la *"moto"*, nel secondo Andrea è al tempo stesso soggetto e oggetto dell'azione: Andrea lava cioè sé stesso.
  La forma riflessiva è caratterizzata dalle particelle pronominali **mi, ti, ci, si, vi** che precedono il verbo. Mentre all'imperativo lo seguono, unendosi ad esso.

La forma riflessiva apparente

- Attenzione non sempre le particelle pronominali hanno la funzione di complemento oggetto:

  Mi domandavo che fine avesse fatto quel barbone.

  In questo caso infatti, *"mi"* significa *"a me"*.

La forma pronominale

Si è assopita.

- La particella pronominale che accompagna il verbo è parte integrante di esso, fa cioè parte del verbo stesso "*assopirsi*" senza che questo assuma un significato riflessivo.
- Esistono verbi, transitivi o intransitivi, che possono avere una forma intransitiva pronominale:

  Mi sono svegliato. *Marco ha svegliato Anna.*

  o verbi il cui senso cambia, come "*sedere*" che come intransitivo significa "stare seduti" o come intransitivo pronominale significa "mettersi a sedere". I verbi riflessivi reggono l'ausiliare **essere** nelle forme composte.

1 Distingui le forme riflessive proprie [RP], le forme riflessive apparenti [RA] e le forme pronominali [FP]:

1. Scusate se non mi sono ancora presentato [.....] : io mi chiamo [.....] Marco.
2. Come mi devo vestire [.....] ?
3. Ci incamminiamo [.....] per le strade del paese.
4. Anna si avvicina [.....] incuriosita e loro ci invitano a sederci [.....] al tavolo.
5. Anna si diverte [.....] moltissimo.
6. Sì, va bene, ma domani mattina non svegliarmi [.....] troppo presto.
7. Siamo qui per rilassarci [.....] .
8. Se non ci attardiamo [.....] troppo per la colazione, possiamo fare la nostra visita all'abbazia.
9. Fin dal mattino presto intere famigliole arrivano per prendersi [.....] i posti migliori.

10. Anna non sembra curarsi [.....] del frastuono che ci circonda.
11. Anna si sdraia [.....] sul suo asciugamano.
12. Stasera, prima di tornare a casa, ci fermiamo [.....] all'abbazia e diamo un'occhiata in giro.
13. Quando te ne sarai convinta [.....] potremo dimenticare questa storia.
14. Dai, Marco, sbrigati [.....] e parla piano, vuoi che ci scoprano?
15. Zitto! Qualcosa si muove [.....] , ecco scendono dai camion.

Parole, parole, parole...

1 **Indica con una ✘ il significato esatto delle seguenti parole o espressioni riferendoti al contenuto del testo:**

1. armati fino ai denti
   - **a.** ☐ coi denti taglienti come armi
   - **b.** ☐ provvisti di molte armi
   - **c.** ☐ incapaci di usare armi

2. gelare il sangue
   - **a.** ☐ mettere in frigorifero
   - **b.** ☐ divenire freddissimo
   - **c.** ☐ far rabbrividire per la paura

3. macinare pensieri
   - **a.** ☐ tritare minutamente tutto
   - **b.** ☐ esprimere i propri pensieri a parole
   - **c.** ☐ pensieri che si susseguono a grande velocità nella mente

4. essere in combutta
a. ☐ essere d'accordo
b. ☐ decidere insieme di buttar via qualcosa
c. ☐ partecipare insieme ad una battuta di caccia

5. fare una gaffe
a. ☐ agire con coscienza
b. ☐ dire qualcosa incautamente
c. ☐ non essere disinvolto

6. togliere dalla circolazione
a. ☐ eliminare qualcuno
b. ☐ dirigere il traffico eliminando ingorghi
c. ☐ allontanare, mandare via qualcuno

Mano alla penna

1 **Dove riporresti i tuoi preziosi rullini, se ti trovassi al posto di Anna?**

2 **E tu che cosa fai per rilassarti e per riposarti?**

3 **Rifletti circa il comportamento dei carabinieri. Come riesci a spiegarlo?**

4 **Immagina di essere il giornalista cui Marco e Anna fanno le loro confidenze. Ora devi riportare la notizia dell'accaduto sui giornali.**

5 **Immagina gli sviluppi successivi della vicenda.**

I Documenti

Risotto alla milanese

per 4 persone

300 gr. riso
70 gr. burro
un cucchiaio di cipolla bianca tritata
una bustina di zafferano in polvere
un litro circa di brodo bollente
(anche di dado)
4 cucchiai di grana

In una casseruola imbiondite la cipolla con 30 gr. di burro. Cuocete a fuoco medio per pochi minuti. Unite il riso e cuocete a fuoco vivace per qualche minuto, rimescolando con un cucchiaio di legno; versate un paio di mestoli di brodo che farete asciugare sempre rimescolando.

Unite lo zafferano e continuate la cottura versando il brodo a mestoli e lasciando assorbire ogni volta.

Appena il risotto sarà cotto, toglietelo dal fuoco ed aggiungete il rimanente burro ed il formaggio grattugiato.

Questo è il piatto tipico locale che Anna e Marco hanno mangiato da Rosa. Prova ad illustrare tu una ricetta tipica della tua regione.

Il più dolce dei peccati

nutella

La Nutella è una splendida trentenne (classe '64). Ma anche se così giovane ha già conosciuto l'onore del dizionario. L'ultima edizione del Devoto Oli riporta questa voce: "nutella, f. s., nome commerciale di una crema a base di nocciole o di cioccolato".

Manca la spiegazione etimologica. Non dovrebbe essere cervellotica: "nut", "noce" in inglese, più "ella", suffisso comune della nostra lingua. Difficile, invece, capire la ricetta di questa delizia: alla Ferrero, le bocche sono cucite. Gli unici dati che trapelano sono le tonnellate di Nutella prodotte in un anno (119 mila) e il numero di barattoli riempiti in un mese (19 milioni).

Il mistero sulla "dipendenza da cucchiaino" di moltissimi personaggi noti si dirada. Confessano Claudia Koll ("È un premio che mi do quando sono stanca") e Lorenza Forteza ("È il mio vizio segreto"). Ma perché la Nutella è così irresistibile? La sua cremosità, la sua spalmabilità hanno un che di infantile e di sessuale insieme. Un aspetto esemplificato alla perfezione da Nanni Moretti che, nel film "Bianca", affoga i guai in un barattolone di Nutella. E poi, il fatto di essere un cibo nemico della linea, rende la Nutella più appetibile!

(adattamento da *Donna moderna*, aprile '97)

Prova a scrivere tu un articolo su un prodotto altrettanto famoso, tentando di giustificarne il successo.

Capitolo 8

Il mistero viene svelato

Veniamo trascinati fuori sul piazzale dell'abbazia dove, adesso, è parcheggiato un lussuoso camper.

Io non ci capisco più niente. Anche voi siete curiosi di sapere chi c'è nel camper? Presto la vostra curiosità sarà soddisfatta!

Infatti ci fanno accomodare nel suo interno. Ci accoglie un uomo molto distinto, alto, un po' brizzolato[1] e vestito con abiti borghesi. Al suo fianco c'è il comandante dei carabinieri.

1. **un po' brizzolato** : con i capelli che cominciano a diventare bianchi.

Il mistero viene svelato

Il comandante ci guarda e scuote la testa:

– Ragazzi, cosa volevate fare?

Il signore distinto ci fa accomodare su di un divano chiedendoci se vogliamo bere qualcosa. Non so come, ma dalla bocca mi esce un fievole [1] no. Anna scuote la testa in senso di diniego. [2] Lei non ha più voce in gola.

– Bene ragazzi, sarà meglio mettere subito in chiaro alcune cose.

L'uomo distinto parla con un accento straniero, ma il suo italiano è corretto.

– Perché vi siete introdotti nell'abbazia? Vi era stato detto che era impossibile visitarla! Non è vero, Toni?

Toni è entrato nel camper e accenna di sì con la testa.

Che mi venga un colpo! [3] È il frate, l'uomo della discoteca!

Anche Anna l'ha riconosciuto e strabuzza gli occhi [4] per la sorpresa.

Devo farmi coraggio e parlare:

– Non rispondiamo a nessuna domanda finché non sappiamo chi è lei!

Lo straniero esplode in una fragorosa risata, poi mi chiede:

– Con chi pensi di parlare? Forse un agente di qualche servizio segreto?

1. **fievole** : debole.
2. **diniego** : rifiuto.
3. **che mi venga un colpo!** : (escl.) in tono scherzoso: che mi venga un accidente!
4. **strabuzza gli occhi** : spalanca gli occhi con intensa fissità.

Adesso ridono tutti, compreso il comandante dei carabinieri!

– Ti dirò subito chi sono. Mi chiamo Oscar La Plante e sono un regista.

Anna ed io ci guardiamo in faccia. Abbiamo capito bene? Un regista? Uno che dirige i film?

– Ragazzo, ti chiederai perché sono qui! Bene, sono qui per girare un film. Un film di spionaggio. Tutto quello che avete visto fa parte della scenografia. L'azione si svolge in un'abbazia. Essa viene utilizzata come base segreta e... non vi posso dire altro della trama, mi dispiace.

– Le dispiace? E no, caro signor regista, noi abbiamo visto delle cose che non sembravano certo finte! Se davvero lei è qui per girare un film, perché non lo fa alla luce del giorno, [1] perché tutto questo mistero? Toni, o come cavolo [2] si chiama, poteva spiegarci subito la questione. Perché si è fatto passare per [3] un frate?

Anna è veramente inviperita! [4] Nel corso della discussione vedo il suo volto cambiare più volte colore. Prima bianco dalla paura, poi verde di rabbia, infine rosso. Anche il volto del regista non ha un bel colore, pare impallidire, ma si riprende subito.

– Signorina, non è così semplice. Nel nostro lavoro la segretezza è fondamentale. Sono molti coloro che vogliono

1. **alla luce del giorno** : senza nascondersi.
2. **come cavolo** : esclamazione popolare che esprime ira.
3. **si è fatto passare per** : ha finto di essere (un'altra persona).
4. **inviperita** : infuriata.

sapere come sarà il mio prossimo film. In molti vogliono copiare il mio stile e tu capisci benissimo che non posso permetterlo. Questo potrebbe essere un film da Oscar.

– E questo comporta l'uso di armi vere?

– Certo, sono armi vere, ma non ci sono munizioni. Hai forse visto delle munizioni?

– In effetti non ne abbiamo trovate, ma quei piani segreti…

– Mia cara, fanno parte della storia. Che film di spionaggio sarebbe senza piani segreti, non trovi?

– Un momento! Lei spiega solo alcune cose, ma come può giustificare la scomparsa del barbone che solitamente vive qui intorno? Io l'ho visto davvero, non l'ho sognato!

– Sì, la spiegazione è semplice! È vero, c'era un barbone, creava dei problemi, era inaffidabile, [1] così mi sono rivolto al comandante dei

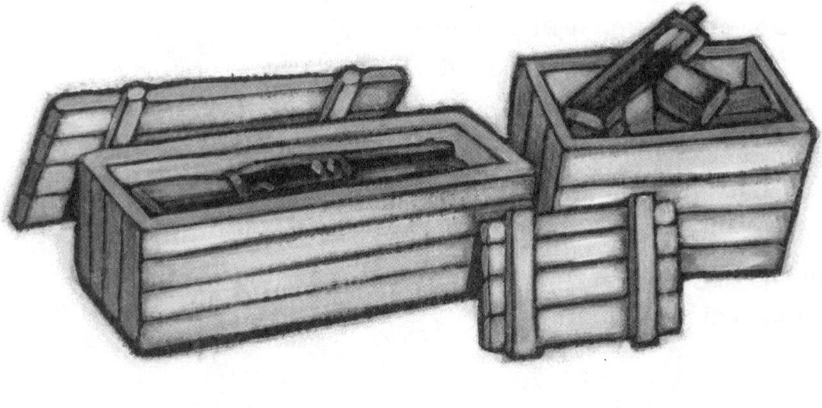

1. **inaffidabile** : persona di cui non ci si può fidare.

carabinieri per risolvere la situazione. Dopo che l'hai visto è stato prelevato e inviato ad una casa di riposo. Poi voi siete andati dal comandante che, lì per lì, non ha saputo trovare una scusa migliore e ha negato la presenza del barbone; non è vero comandante?

– Sì, sì, è vero, ma non volevo insospettirvi!

– Tentativo fallito, però! Lei ci ha trattato come due stupidi!

Povero comandante, non ha l'aria di trovarsi a suo agio in questa situazione, non ci fa una bella figura!

– Si può sapere in quale ospizio è ricoverato [1] il barbone; noi vogliamo essere certi che stia bene.

– Anna..., Anna, non ti basta la figuraccia fatta finora?

– Ma certo, non c'è problema. Il comandante vi darà l'indirizzo. Dov'è ricoverato? Se non mi sbaglio a Motta Visconti.

Il comandante annuisce: [2]

– Domani, se volete vi accompagno.

– Prima di lasciarvi andare via, dovete promettermi che non racconterete a nessuno quello che avete visto e saputo. Dovete stare lontani dall'abbazia per non intralciare la troupe. Se c'è qualcosa che dovete dirmi o darmi, fatelo ora, poi non avremo ulteriori occasioni di vederci. Siete ragazzi intelligenti e so che non cercate guai, ma se vi ripesco [3] qui in giro vi denuncio ai carabinieri.

1. **è ricoverato** : è degente.
2. **annuisce** : fa cenno di sì con la testa.
3. **ripesco** : ritrovo.

Il mistero viene svelato

Promettiamo di non intralciare [1] la realizzazione del film, ma taciamo l'esistenza dei rullini. Non so perché non ne parliamo, Anna ed io ci siamo guardati e abbiamo preferito tacere.

Usciamo dal camper accompagnati dal comandante e ci avviamo a piedi verso il paese.

– Comandante, ma i frati dell'abbazia dove sono ora?

– Sono ospiti di un convento fino alla fine della realizzazione del film, stanno bene non dovete preoccuparvi. Domani mattina trovatevi qui in caserma, andremo all'ospizio di Motta Visconti a trovare il barbone.

– Un'ultima cosa. Tutto il paese è al corrente della realizzazione del film?

– Sì. Siamo bravi a mantenere i segreti, vero?

Arriviamo a casa senza dire una parola. Nessuno dei due sa cosa dire, poi Anna rompe il silenzio: [2]

– Mi dispiace, Marco. Sono una sciocca, mi lascio trasportare dalla fantasia e non rifletto abbastanza. Ti ho coinvolto in una storia assurda e ti ho fatto fare una figuraccia con la gente del paese. Adesso tutti rideranno di noi!

– Non è colpa tua; anch'io ho creduto di aver scoperto qualcosa di pericoloso. In un certo senso mi sono divertito a fare l'investigatore. Tutto sommato è stata una vacanza originale!

1. **intralciare** : ostacolare.
2. **rompe il silenzio** : ricomincia a parlare.

Tra le righe

1 Leggi attentamente il testo e segna con una ✘ l'affermazione esatta:

1. Marco e Anna vengono condotti in
- **a.** ☐ una stanza lussuosa
- **b.** ☐ una roulotte
- **c.** ☐ un camper elegante

2. Li accoglie
- **a.** ☐ un uomo alto e distinto
- **b.** ☐ un uomo tarchiato, piuttosto elegante
- **c.** ☐ un uomo anziano in abiti borghesi

3. Toni è
- **a.** ☐ il barbone
- **b.** ☐ l'uomo della discoteca
- **c.** ☐ il comandante dei carabinieri

4. Oscar La Plante è
- **a.** ☐ un regista cinematografico
- **b.** ☐ un malvivente
- **c.** ☐ un attore della troupe di teatro

5. Il regista teme
- **a.** ☐ di non vincere l'Oscar
- **b.** ☐ che lo stile del film venga copiato
- **c.** ☐ che il film non sia abbastanza realista

6. Anna e Marco promettono
- **a.** ☐ di non dar fastidio, ma tacciono l'esistenza dei rullini
- **b.** ☐ di consegnare i rullini, ma di proseguire le indagini
- **c.** ☐ di non dare fastidio e di consegnare i rullini

Caccia alle parole

2 Ascolta attentamente la cassetta e quindi con l'aiuto degli aggettivi qui sotto completa il testo:

alcune – alto – straniero – borghesi
brizzolato – curiosi – distinto – fievole
impossibile – lussuoso – suo – vero – vostra

Veniamo trascinati fuori sul piazzale dell'abbazia dove, adesso, è parcheggiato un .... camper.

Io non ci capisco più niente. Anche voi siete .... di sapere chi c'è nel camper? Presto la .... curiosità sarà soddisfatta!

Infatti ci fanno accomodare nel suo interno. Ci accoglie un uomo molto ...., ..., un po' .... e vestito con abiti .... Al .... fianco c'è il comandante dei carabinieri.

Il comandante ci guarda e scuote la testa:

– Ragazzi, cosa volevate fare?

Il signore distinto ci fa accomodare su di un divano chiedendoci se vogliamo bere qualcosa. Non so come, ma dalla bocca mi esce un .... no. Anna scuote la testa in senso di diniego. Lei non ha più voce in gola.

– Bene ragazzi, sarà meglio mettere subito in chiaro .... cose.

L'uomo distinto parla con un accento ...., ma il suo italiano è corretto.

– Perché vi siete introdotti nell'abbazia? Vi era stato detto che era .... visitarla. Non è ...., Toni?

Toni è entrato nel camper e accenna di sì con la testa.

Che mi venga un colpo! È il frate, l'uomo della discoteca!

S.O.S Grammatica

I pronomi di cortesia

Le dispiace?

Un momento lei ci spiega solo alcune cose!

Lei ci ha trattato come due stupidi!

Il pronome personale *"Lei"* viene usato come forma di cortesia per rivolgersi a chi non si conosce, ad un superiore e comunque per sottolineare un atteggiamento di rispetto.
Lo usano anche gli adolescenti per rivolgersi agli adulti. Si ricordi che invece il pronome personale *"tu"* annulla ogni distanza tra i parlanti.

- In talune regioni d'Italia, soprattutto in quelle centrali, si tende a preferire il tu, limitando molto l'uso del lei.

1 **Leggi attentamente i capitoli 7 e 8, quindi trascrivi qui di seguito le espressioni in cui viene usato il *Lei*:**

....

....

....

....

....

2 **Il regista si rivolge a Marco e ad Anna dando loro del *tu*. Trasforma le sue battute usando la forma di cortesia.**

Parole, parole, parole...

1 Le professioni del mondo dello spettacolo.

Collega le seguenti professioni con la loro definizione:

1. attore	**a.** persona che appare in scena con altre persone senza mai parlare
2. regista	**b.** scrittore specializzato nella creazione di testi cinematografici
3. comparsa	**c.** assistente del direttore durante la lavorazione del film
4. costumista	**d.** personaggio principale
5. sceneggiatore	**e.** persona che recita, che interpreta una parte
6. truccatore	**f.** disegnatore di abiti di scena
7. protagonista	**g.** responsabile del coordinamento e del risultato artistico
8. aiuto regista	**h.** impresario cinematografico, finanziatore e organizzatore
9. produttore	**i.** persona specializzata nel trucco degli attori di un film

2 Che cos'è?

1. parte	**a.** vi si svolgono le scene del film
2. kolossal	**b.** lo imparano a memoria gli attori
3. set cinematografico	**c.** la attribuisce il regista
4. copione	**d.** un film i cui costi di produzione sono molto alti

Mano alla penna

1 **Racconta la trama di un film che hai visto al cinema.**

2 **Racconta una tua esperienza di recita scolastica o altro.**

3 **Mettiti nei panni di Anna e Marco: ti sembrano plausibili le spiegazioni fornite dal regista? Tu che cosa diresti?**

4 **E se il regista fosse un malvivente? Immagina un altro sviluppo della vicenda.**

Intervallo

Anagramma

Rispondendo alle seguenti domande troverai il titolo di una famosa *pièce* teatrale di Luigi Pirandello.

1. Aggettivo dimostrativo femminile singolare.
2. Parte della giornata.
3. Affermazione.
4. Il padre del principe.
5. Nome della scimmia di Tarzan.
6. Prima lettera dell'alfabeto.
7. Abbreviazione usata per indicare chi compie un'azione in analisi logica.
8. Unità di misura equivalente alla decima parte del chilogrammo.

1							2					3	

4		5					6		7				8			

Capitolo 9

Un furto sospetto

Ci alziamo tutti e due di buon'ora.[1]

Il comandante dei carabinieri ci aspetta per la visita all'ospizio di Motta Visconti. Il barbone dell'abbazia ormai vive lì. Non ho ben chiaro perché andiamo a trovarlo, ma il comandante ha tanto insistito e, nella posizione in cui ci troviamo, non possiamo permetterci di contraddirlo.

– Come ti senti stamattina?

– Come ieri, ho la sensazione di essere una sciocca!

1. **di buon'ora** : presto.

Comunque non riesco a capacitarmi.[1] Com'è possibile sbagliare a valutare una situazione in modo così ridicolo?

– Perché tutto sembrava verosimile! La colpa non è tutta nostra. Gli abitanti del paese e il comandante hanno alimentato le nostre fantasie con il loro comportamento sospetto.

– Ormai quel che è stato è stato! Godiamoci questi ultimi giorni di vacanza. Facciamo questa visita all'ospizio e poi buttiamoci alle spalle[2] tutta la faccenda!

– A proposito, Anna, ieri ho messo i rullini in un cassetto del comò. Vederli in giro per casa mi irrita. Hai intenzione di svilupparli, una volta tornata a Genova?

– Perché no! Sarà divertente vedere le foto!

Siamo pronti per andare all'appuntamento. Il comandante dei carabinieri ci accoglie molto cordialmente, ci offre un caffè appena preparato dal suo appuntato,[3] poi saliamo sulla sua macchina di servizio e percorriamo i pochi chilometri verso Motta Visconti.

Arriviamo in paese e ci dirigiamo all'ospizio. Il direttore

1. **a capacitarmi** : a convincermi, a rendermi conto dell'accaduto.
2. **buttiamoci alle spalle** : dimentichiamo.
3. **appuntato** : persona che ricopre il 1° grado di gerarchia nell'arma dei carabinieri.

sanitario ci attende sulla porta di ingresso. Sicuramente è stato avvisato della nostra visita. Mentre ci conduce lungo i corridoi ci racconta delle enormi difficoltà che incontra nel gestire le giornate degli anziani che, per lo più, arrivano in questi istituti accompagnati dai familiari che poi non vengono mai a trovarli.

Mi accorgo di non sapere il nome del barbone:

– Come si chiama il barbone?

– Si chiama Mario. Prima di vederlo vi devo avvisare che è molto confuso. Gli somministriamo dei farmaci per tenerlo calmo. Con lui dovete avere pazienza e, meno domande gli fate, meglio è!

Ci siamo! Siamo davanti alla porta della sua stanza, chissà se mi riconosce.

Mario è sdraiato sul letto. Apparentemente sembra addormentato. Seduto vicino al letto c'è un infermiere che legge il giornale, ci saluta, poi si apparta [1] con il direttore sanitario e parlottano [2] a voce bassa.

Alla fine del consulto il direttore sanitario si volta verso di noi:

– Ha avuto una notte agitata, ora è sveglio, ma non molto cosciente; potete provare a fargli qualche domanda, ma non potete fermarvi molto a lungo, perché il paziente ha bisogno di molto riposo.

1. **si apparta** : si mette in disparte, si isola.
2. **parlottano** : parlano con aria di mistero.

Mi avvicino al letto. Anna invece, se ne sta in disparte, del resto lei non lo ha mai visto.

– Mario, mi sente? Sono il ragazzo dell'abbazia, si ricorda? Ci siamo incontrati una mattina molto presto e abbiamo scambiato due parole poi, quando sono ritornato per vedere come stava, lei non c'era più. Mi sono molto preoccupato, avevo paura che le fosse capitato qualcosa di brutto. Ora come sta? Qui la cureranno, sono contento di averla rivista.

Ho parlato tutto d'un fiato [1] e Mario è restato sempre girato di spalle, poi, alla fine, si è voltato verso di me.

Devo mantenermi calmo, non devo far capire a nessuno che sono sorpreso. L'uomo che è in questo letto non è il barbone dell'abbazia, non gli somiglia neanche un po'. Quando l'ho visto per la prima volta all'abbazia era molto sporco e trasandato. [2] Ora è pulito e in ordine, ma non è la stessa persona.

Il sedicente Mario mi prende una mano e mi tira verso di lui, poi tenta di parlare, ma farfuglia qualcosa [3] io non capisco niente. Mi ritraggo dalla sua presa, poi mi rivolgo al comandante dei carabinieri:

– Per me possiamo andare, sono sicuro che qui sta meglio che fra i cespugli all'abbazia.

1. **tutto d'un fiato** : senza interruzione.
2. **trasandato** : poco curato, trascurato.
3. **farfuglia qualcosa** : parla in modo disarticolato, in modo molto confuso.

Un furto sospetto

Mi avvicino ad Anna e la stringo in un abbraccio, poi tutti usciamo dalla stanza.

– Dottore, per quanto tempo lo terrete in istituto?

– Rimarrà qui per sempre. Non ha parenti, non ha nessuno: è il comune che si fa carico [1] di lui.

– Almeno ora ha una casa. Marco, non devi preoccuparti per lui, hai sentito il dottore? Avranno cura di lui.

Anna cerca di confortarmi, non capisce perché sono così impressionato da questa visita; ma voi capite, vero?

In silenzio saliamo sulla macchina del comandante che ci chiede se va tutto bene, poi torniamo alla caserma.

– Ci lasci pure qui in piazza, signor comandante, preferiamo fare due passi a piedi. A Marco ha fatto molta impressione la condizione di quel povero uomo, magari camminando si sentirà meglio. La ringraziamo comunque per la pazienza che ha avuto con noi. Mi creda, non era nostra intenzione crearle delle difficoltà.

– Ragazzi, non ci pensate più e godetevi la vacanza. Come si dice, "tutto è bene quel che finisce bene!"

Camminiamo lungo la strada, mano nella mano, in silenzio. Io sono sommerso da mille pensieri e ho paura a riordinarli. Anna è paziente, capisce che ho bisogno di tempo.

Arriviamo davanti a casa, la porta di ingresso è spalancata. [2]

– Anna, hai lasciato la porta aperta stamattina?

1. **si fa carico** : si occupa.
2. **spalancata** : completamente aperta.

– No, l'ho chiusa a chiave, me lo ricordo bene, ho le chiavi qui in tasca!

– Allora qualcuno è entrato in casa. Ci mancavano anche i ladri! Cos'altro ci succederà?

Entriamo con cautela in casa. Che disastro! È tutto sottosopra! [1] Tutti i cassetti e gli sportelli dei mobili sono stati aperti ed è stato buttato tutto per terra, ma ad una prima occhiata sommaria, [2] gli oggetti di valore presenti in salotto non sono stati rubati. Anche nelle altre stanze tutto è sparso per terra, ma gli oggetti antichi e i quadri sono rimasti al loro posto. Persino i soldi che avevo lasciato sul caminetto, sono ancora lì.

– Non sono ladri qualsiasi, stavano cercando qualcosa. Vedi, Marco, non hanno portato via niente, ma allora cosa cercavano?

All'improvviso mi viene una folgorazione: [3]

– Vieni, Anna, andiamo di sopra: credo di aver capito cosa volevano!

Anche voi avete capito?

Entriamo nella nostra camera da letto. I ladri hanno frugato [4]

1. **sottosopra** : in uno stato di grande disordine.
2. **occhiata sommaria** : uno sguardo rapido e globale.
3. **mi viene una folgorazione** : capisco in un lampo la situazione.
4. **frugato** : cercato con attenzione, rovistato.

dappertutto, negli armadi, nelle valigie e nel comò. Vado diretto verso il comò e cerco affannosamente i rullini fotografici, ma sono scomparsi!

– Anna, hanno rubato i rullini! Ecco cosa cercavano! L'attrezzatura fotografica non l'hanno nemmeno toccata!

– Marco, non ci capisco niente. Chi può avere interesse a rubare le nostre foto?

– Le stesse persone che hanno fatto in modo di tenerci lontano da casa per tutta la mattina!

– I carabinieri? Non è possibile! Loro non erano a conoscenza dell'esistenza dei rullini! Nessuno, tranne noi due, sapeva delle foto!

– Forse avevano dei sospetti e così sono venuti a controllare!

– Ma potevano chiederceli, oppure fare tutto legalmente con un mandato di perquisizione! [1]

– Ah, troppo complicato, Anna. Non avevano tempo a sufficienza per chiedere un mandato e poi avrebbero dovuto spiegare il perché ad un magistrato! No, non potevano spiegare che erano le foto di un set cinematografico!

– Cosa vuoi dire, Marco?

1. **mandato di perquisizione** : atto legale che autorizza a cercare le prove di un reato in casa o nella proprietà di qualcuno.

Un furto sospetto

– Voglio dire che forse avevamo ragione noi! Non è un set cinematografico quello che abbiamo visto all'abbazia; non girano un film, ma si tratta di una base segreta per piani militari che devono restare segreti! Ti dirò di più. L'uomo dell'ospizio non è il barbone dell'abbazia!

– Ne sei sicuro?

– Sicurissimo, come so che tu sei Anna!

– Perché allora non hai detto niente?

– Perché ho capito che non possiamo fidarci del comandante dei carabinieri. Perché si è dato tanto da fare per mostrarci il barbone? Noi, ieri, non avevamo chiesto niente, eppure lui ha insistito, praticamente ci ha obbligati a fargli visita e ci ha mostrato un uomo imbottito di tranquillanti [1] che non poteva dirci niente. Il nostro caro comandante aveva bisogno di lasciare il campo libero ai ladri. Non ha senso rubare le foto a meno che...

– A meno che non mettano in pericolo una missione militare segreta! Certo, non potevano chiedercele, ci avrebbero insospettiti. Così, invece, sembra un furto qualsiasi... Marco, farai la denuncia?

– A che scopo? Non hanno rubato nulla, in fondo! Non ho ragione?

1. **imbottito di tranquillanti** : che ha assunto molti farmaci, sedativi.

Tra le righe

1 **Leggi attentamente il capitolo e rispondi alle seguenti domande:**

1. Che cosa ha fatto Marco dei rullini?
2. Come vengono accolti dal comandante dei carabinieri i nostri amici?
3. Chi trovano ad attenderli all'ospizio Motta Visconti?
4. Che cosa dice il direttore sanitario a proposito di Mario?
5. Che cosa sta facendo Mario, all'arrivo di Marco e Anna?
6. Che cosa dice Marco a Mario?
7. Perché prima di andarsene Marco abbraccia Anna?
8. Che cosa dice Marco ai carabinieri? È realmente quello che pensa?
9. Cosa trovano Marco ed Anna rientrando a casa?
10. Che cosa cercava chi è entrato in casa? È riuscito nel suo intento?
11. Quali sono le supposizioni dei ragazzi?
12. Come decide di comportarsi Marco?

2 **Metti i seguenti momenti in ordine cronologico:**

a. ☐ Marco e Anna raggiungono l'ospizio con la macchina di servizio dei carabinieri.
b. ☐ Marco e Anna vengono accolti dal direttore sanitario.
c. ☐ Marco si rende conto che Mario non è il barbone dell'abbazia.
d. ☐ Marco e Anna preferiscono fare due passi a piedi e il comandante li fa scendere in piazza.
e. ☐ Marco e Anna vanno al comando dei carabinieri.
f. ☐ Marco e Anna incontrano Mario.

g. ☐ Marco ringrazia il comandante per avergli dato l'occasione di incontrare il barbone.

h. ☐ La casa è tutta sottosopra.

i. ☐ Marco e Anna trovano spalancata la porta di casa.

j. ☐ Marco si rende conto che i ladri cercavano i rullini ma è meglio tacere l'accaduto.

Caccia alle parole

3 Ascolta attentamente la cassetta e correggi il testo:

Arriviamo al villaggio e ci dirigiamo al ricovero. Il medico di guardia ci aspetta sul portone dell'ingresso. Certamente è stato avvertito della nostra venuta. Mentre ci conduce lungo i corridoi ci parla delle grandi difficoltà che incontra nel gestire le giornate dei vecchi ospiti che, per lo più, giungono in questi ospizi condotti dai parenti che poi non vengono mai a render loro visita.

Mi rendo conto di non conoscere il nome del mendicante:

– Come si chiama il barbone?

– Si chiama Mauro. Prima di incontrarlo vi devo confessare che è molto malato. Gli diamo dei medicinali per tenerlo tranquillo. Con lui dovete avere pazienza e, meno domande gli fate, meglio è!

Eccoci! Siamo di fronte alla porta della sua camera, chissà se mi riconoscerà.

Parole, parole, parole...

1 **Indica con una ✘ il significato esatto delle seguenti parole o espressioni:**

1. trasandato
   - a. ☐ che ha cura di sé
   - b. ☐ trascurato
   - c. ☐ andato via

2. farsi carico
   - a. ☐ incaricarsi
   - b. ☐ trasportare
   - c. ☐ candidarsi per assumere una carica

3. scambiare due parole
   - a. ☐ passarsi dei fogli scritti
   - b. ☐ trasportare
   - c. ☐ parlare appena

4. parlare tutto d'un fiato
   - a. ☐ ansimare
   - b. ☐ parlare senza interrompersi, senza prender fiato
   - c. ☐ parlare inutilmente

5. frugare
   - a. ☐ ingannare
   - b. ☐ cercare con attenzione, rovistare
   - c. ☐ derubare

Mano alla penna

1 Se ti trovassi al posto di Anna svilupperesti i rullini? Perché?

2 Ti è mai capitato di far visita a qualcuno ricoverato in ospizio o in ospedale? Quali devono essere i requisiti degli infermieri?

5 Immagina che qualcuno sia entrato nella tua stanza per sottrarti qualcosa cui tieni in modo particolare. Che cosa vai subito a cercare? Che cosa fai?

0 Valuta le considerazioni di Marco e Anna. Sei d'accordo con loro?

Intervallo

Che cosa manca?

Capitolo 10

Coincidenze?

Sono passati alcuni mesi da quando siamo rientrati dalla mitica vacanza.

Con Anna ci sentiamo spesso per telefono. [1] Non parliamo mai di quello che è successo in vacanza: del resto non c'è niente da dire, non ci sono prove per far aprire un'inchiesta e, parlarne fra di noi non porta a niente. [2]

1. **ci sentiamo spesso per telefono** : ci telefoniamo con assiduità.
2. **non porta a niente** : non porta a una conclusione.

Coincidenze?

Tutti e due ci siamo buttati a capofitto [1] nello studio e questo ci impedisce di vederci.

Avrete intuito che non è proprio così.

Il fatto è che, da quando siamo rientrati, i rapporti tra di noi si sono incrinati. [2] Abbiamo bisogno di una pausa di riflessione. Gli avvenimenti di quest'estate hanno lasciato uno strascico [3] spiacevole nelle nostre vite.

Di chi possiamo fidarci dopo tutto quello che è successo? Il non poterne parlare con nessuno, se non tra noi due, ci logora i nervi. [4]

Prima di rientrare a casa abbiamo rimesso in ordine la casa dei miei nonni. Per fortuna i ladri non hanno rotto nulla e così non sono stato obbligato a raccontare del furto ai miei genitori.

L'ultima sera siamo andati a cena dalla Rosa. Lei ci ha accolto come sempre, con il sorriso sulle labbra e, per scusarsi di non averci avvertito di quello che succedeva all'abbazia, ha voluto offrirci la cena.

Una cena squisita, ma per me, la Rosa non è più quella di una volta; come dire, è contaminata [5] da questa storia. Non so quanto lei sappia di vero sull'abbazia. È probabile che sia

1. **a capofitto** : con grande e serio impegno.
2. **incrinati** : compromessi, deteriorati.
3. **strascico** : serie di conseguenze.
4. **logora i nervi** : consuma i nervi (in senso figurato).
5. **contaminata** : corrotta moralmente.

realmente convinta della realizzazione di un film, però mi rimangono tanti dubbi.

Non sono più andato alla casa di campagna; del resto non potrei, dal momento che mio padre l'ha venduta.

Indovinate un po' cos'è successo?

Una coppia di americani innamorati della zona ha fatto un'offerta irresistibile per acquistare la casa e, tanto hanno detto e tanto hanno fatto, che mio padre e mia madre si sono convinti a venderla.

Nello stesso periodo mi è giunta una risposta inaspettata da un'università degli Stati Uniti. Mi è stata concessa una borsa di studio per frequentare un corso di specializzazione.

Devo essere sincero, non me l'aspettavo. È molto difficile ottenere queste borse di studio, soprattutto per gli stranieri, ma tant'è... ora sono in partenza!

Due coincidenze?

Non credo! C'è sicuramente lo "zampino" [1] del grande regista di "Mistero all'Abbazia".

1. **c'è lo zampino** : c'è l'intromissione più o meno evidente di qualcuno per modificare l'esito di qualcosa.

Tra le righe

1 Segna con una ✗ la risposta esatta alle seguenti domande:

1. Quanto tempo è trascorso dalla fine della vacanza?
   - a. ☐ Un mese.
   - b. ☐ Qualche mese.
   - c. ☐ Più di sei mesi.
2. Che cosa fanno Marco ed Anna?
   - a. ☐ Si telefonano spesso.
   - b. ☐ Si vedono raramente.
   - c. ☐ Non vogliono più saper nulla l'uno dell'altro.
3. A che cosa si sono dedicati Anna e Marco al loro rientro a casa?
   - a. ☐ Allo sport.
   - b. ☐ Allo studio.
   - c. ☐ Ai loro hobbies.
4. Che cosa è successo in realtà?
   - a. ☐ Anna si è fidanzata con un altro ragazzo.
   - b. ☐ La loro amicizia si è rotta a causa di un litigio.
   - c. ☐ I loro rapporti si sono incrinati per la troppa tensione.
5. Facciamo un passo indietro. Come hanno trascorso i nostri amici l'ultima sera di vacanza?
   - a. ☐ Sono tornati in discoteca.
   - b. ☐ Sono tornati a cena da Rosa.
   - c. ☐ Sono rimasti a casa e hanno improvvisato una cenetta romantica a lume di candela.

6. Perché Marco non è più tornato nella casa dei nonni?
   a. ☐ Perché la casa è stata venduta.
   b. ☐ Perché non desidera tornarci senza Anna.
   c. ☐ Perché la casa è stata affittata ad una coppia di americani.

7. Quali sono le novità nella vita di Marco?
   a. ☐ Ha trovato un lavoro interessante e particolarmente redditizio.
   b. ☐ Fa tirocinio alla clinica universitaria dell'ospedale San Raffaele.
   c. ☐ Frequenterà un corso di specializzazione post laurea negli Stati Uniti.

2 Hai buona memoria? Completa il seguente testo:

Trascorsi .... dalla vacanza, Anna e Marco, ancora turbati dai fatti, si .... spesso. Hanno diradato i loro incontri. La scusa ufficiale sono i loro impegni, in realtà, l'avventura vissuta durante le .... ha fatto sì che i loro rapporti si siano ....
Prima di rientrare a casa, Marco e Anna hanno rimesso in ordine la casa del .... Fortunatamente non era stato .... niente, così non hanno dovuto fare alcuna denuncia e non hanno dovuto raccontare nulla a casa. Hanno trascorso l'ultima sera di vacanza da .... , ma nulla è come prima. Per quanto riguarda la casa del nonno, essa è stata .... ad un acquirente .... che ha sborsato molto ....
Dal canto suo, Marco ha vinto una .... per frequentare un corso di .... negli Stati Uniti. Si domanda però se dietro a tutto ciò non ci sia lo .... del .... di "Mistero all'Abbazia".

Caccia alle parole

3 Ascolta attentamente la cassetta e correggi eventuali errori:

Sono trascorsi alcuni anni da quando siamo tornati dalla mitica vacanza.

Con Anna ci sentiamo qualche volta per telefono. Parliamo sempre di quello che è capitato in vacanza: del resto c'è molto da dire, ci sono prove per far aprire un'indagine e, parlarne tra di noi ci porta a fare molte congetture.

Entrambi ci siamo concentrati nello studio e questo non ci permette di incontrarci.

Avrete capito che non è proprio così.

Il fatto è che, da quando siamo rientrati, i rapporti tra di noi si sono guastati. Ci serve una pausa di riflessione. I fatti dei mesi scorsi hanno lasciato uno strascico sgradevole nelle nostre esistenze.

Di chi possiamo fidarci dopo tutto quello che è capitato? Il non poterne parlare con nessuno, se non tra noi due, deteriora il nostro sistema nervoso.

S.O.S Grammatica

Il congiuntivo

- Il congiuntivo si usa per esprimere l'incertezza, il dubbio, il desiderio.
- È cioè il modo della soggettività, indica i fatti come sono pensati, sentiti o come si desidera o si spera che siano.

  Si consideri il significato delle seguenti espressioni:

Nevica!	*Nevicasse!*
Ha nevicato.	*Credo che nevichi già.*
Nevicherà certamente!	*Mi pare che abbia nevicato.*
Vedi che nevica!	*Metti le catene prima che nevichi.*

- Il congiuntivo si usa sia nelle proposizioni indipendenti che in quelle dipendenti.

  1. Nelle prime indica:

  – un desiderio, un augurio:

  Oh, se piovesse!

  – un dubbio, una supposizione;

  – un'esortazione, un invito, un ordine.

  2. Nelle proposizioni dipendenti viene usato di norma dopo verbi che esprimono dubbio, incertezza, domanda, desiderio, augurio, speranza, timore:

  Mi auguro che tu possa partire presto.

  Non so quanto lei sappia di vero sull'abbazia.

- Viene inoltre usato dopo espressioni impersonali come:

Bisogna che..., È meglio che..., È necessario che..., È probabile che...

Bisogna che tu esca ora.

- Dopo congiunzioni o locuzioni di subordinazione quali:

benché, affinché, sebbene, purché, prima che, a patto che...

Benché sia ormai primavera, fa freddo.

Attenzione! Nella lingua d'uso (registro colloquiale o familiare) il congiuntivo cede sempre più spesso il passo all'indicativo.

1 **Sostituisci l'indicativo con il congiuntivo, quando ti sembra necessario:**

1. Anna non sa cosa Marco pensa di lei.
2. Non sono sicura che Marco ha detto la verità.
3. Sono sicuro che il barbone sta meglio in casa di cura che tra i cartoni.
4. È meglio che vai a casa, devi ancora fare i compiti.
5. Peccato che siamo in estate, fa troppo caldo per accendere il caminetto, magari se c'è un temporale...
6. Vi domandate dove andiamo? Ma in vacanza naturalmente!
7. È incredibile, hai visto è un frate!
8. Anna, cosa vuoi che ti dico, neanch'io so cosa fare!
9. Ti darò le patatine fritte. Purché tu mangi.
10. Ora che ho parcheggiato la moto è meglio che raggiungo Anna.

Parole, parole, parole...

1 L'intruso

Elimina da ciascuna delle seguenti liste di parole quella che non è in relazione con le altre:

1. posate – botte – piatti – bicchieri – tovagliolo
2. cripta – chiesa – duomo – abbazia – certosa
3. frate – sacerdote – monaca – prete – padre
4. dormire – appisolarsi – sognare – fantasticare – assopirsi

Mano alla penna

1 Immagina una telefonata tra Marco e Anna.

2 Un americano si è innamorato della casa di campagna del nonno di Marco. Immagina che scriva una lettera ai genitori di Marco per chieder loro se sia in vendita.

3 Suona il campanello. Il postino porta una raccomandata. Descrivi le reazioni di Marco quando viene a sapere che gli è stata concessa una borsa di studio per frequentare un corso di specializzazione negli Stati Uniti.

4 Ti piacerebbe studiare all'estero? Dove e perché?

5 Mettiti nei panni di Anna e di Marco. Permetteresti che i tuoi rapporti con un caro amico, con il quale hai condiviso un'esperienza unica, si raffreddassero?

Soluzioni dei giochi

Intervallo p. 17

Scarpe da tennis e occhiali da sole

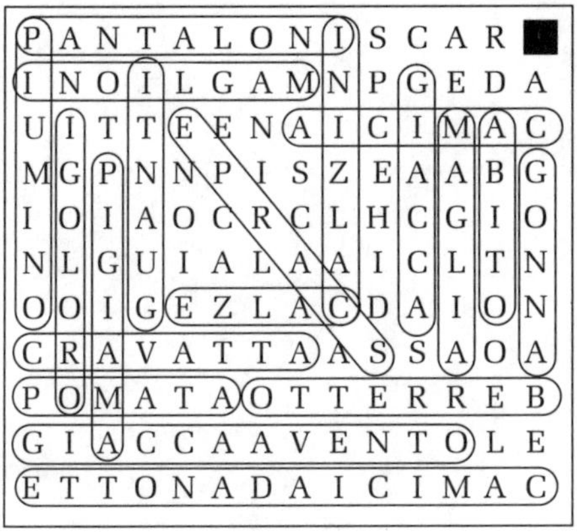

Intervallo p. 32

1. 1-a,c; 2-c.

2. 1-cielo nuvoloso; 2-tramontare del sole.

Parole, parole, parole... p. 59

Basta poco

1-roccia; **2**-salone; **3**-pasto; **4**-case; **5**-litro; **6**-olio; **7**-ragni.

Intervallo p. 77

È il gatto.

Il gatto con gli stivali, gli Aristogatti, Topo Gigio.

Intervallo p. 91

Il cappello del prete

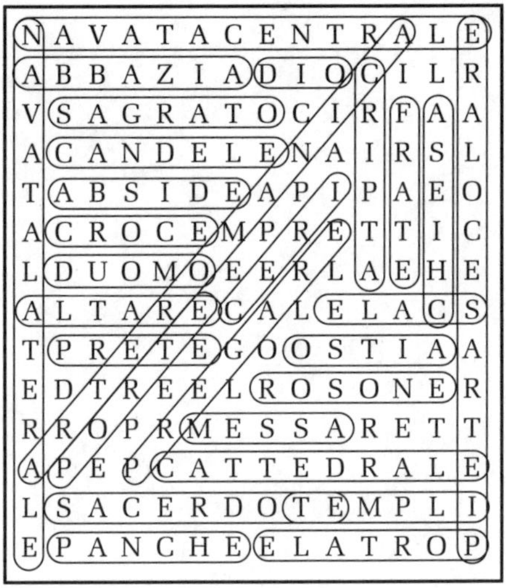

Parole, parole, parole... p. 117

1. 1-e; 2-g; 3-a; 4-f; 5-b; 6-i; 7-d; 8-c; 9-h.

2. 1-c; 2-d; 3-a; 4-b.

Intervallo p. 118

Questa sera si recita a soggetto.

Intervallo p. 131

Parole, parole, parole... p. 139

L'intruso

1-botte; **2**-cripta; **3**-monaca; **4**-fantasticare.

Note

Note